AZ
Street Atlas of
PORTSMO

C000270144

Key to Maps

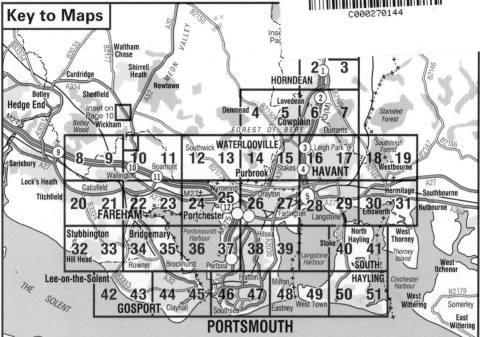

PORTSMOUTH

Reference

Motorway	**M27**	Footpath	-----
A Road	A3	Residential Walkway	·········
Under Construction		Railway	Level Crossing / Station
Proposed		Built Up Area	COURT ST.
B Road	B2177	County or Unitary Authority Boundary	---
Dual Carriageway		District Boundary	-·-·-
One Way A Roads — Traffic flow is indicated by a heavy line on the Drivers left.	→	Posttown Boundary — By arrangement with the Post Office	
Pedestrianized Road		Postcode Boundary — Within Posttown	
Restricted Access		Map Continuation	**14** ▼

Ambulance Station	✛
Car Parks Selected	P
Church or Chapel	†
Fire Station	■
Hospital	H
House Numbers — On Selected Roads	101 94 77
Information Centre	i
National Grid Reference	⁴60
Police Station	▲
Post Office	★
Toilet	▽
Toilet — With Facilities for the Disabled	♿

Scale
1:15,840
4 inches to 1 mile

0   ¼   ½   ¾ Mile
0   250   500   750 Metres   1 Kilometre

Geographers' A-Z Map Co. Ltd.
Head Office : Fairfield Road, Borough Green, Sevenoaks, Kent TN15 8PP Telephone 01732 781000
Showrooms : 44 Gray's Inn Road, Holborn, London WC1X 8HX Telephone 0171-242-9246

The Maps in this Atlas are based upon the Ordnance Survey 1 :10,560 Maps with the permission of the Controller of Her Majesty's Stationery Office

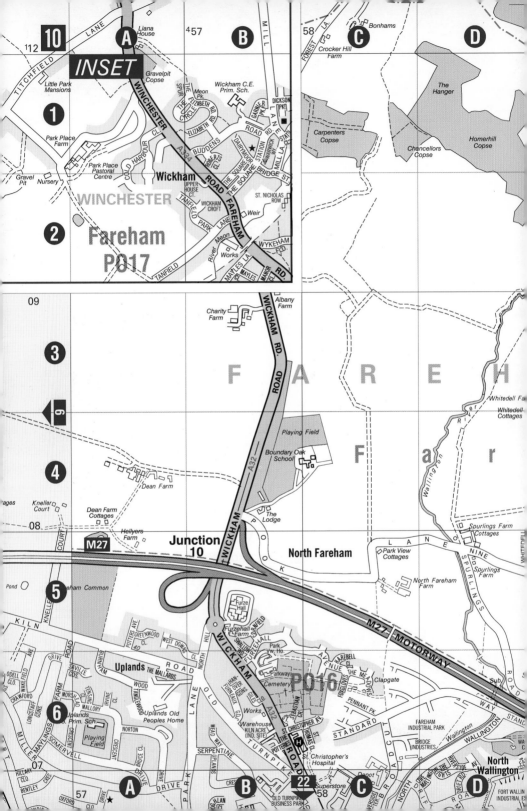

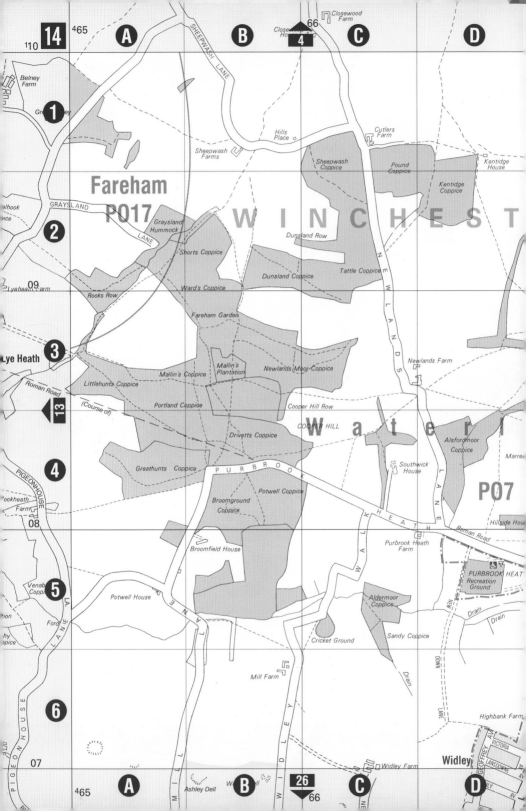

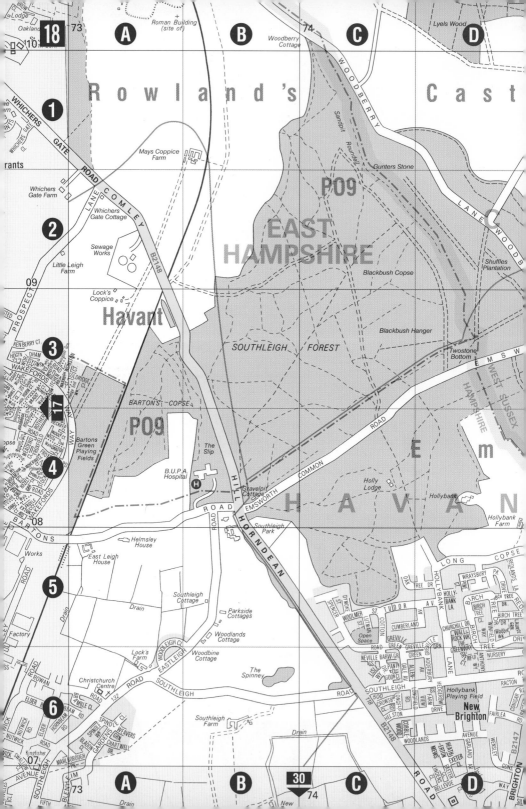

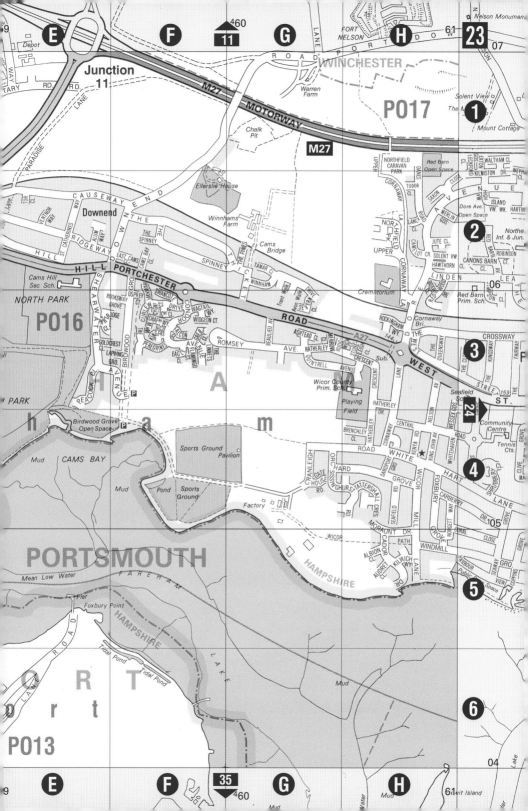

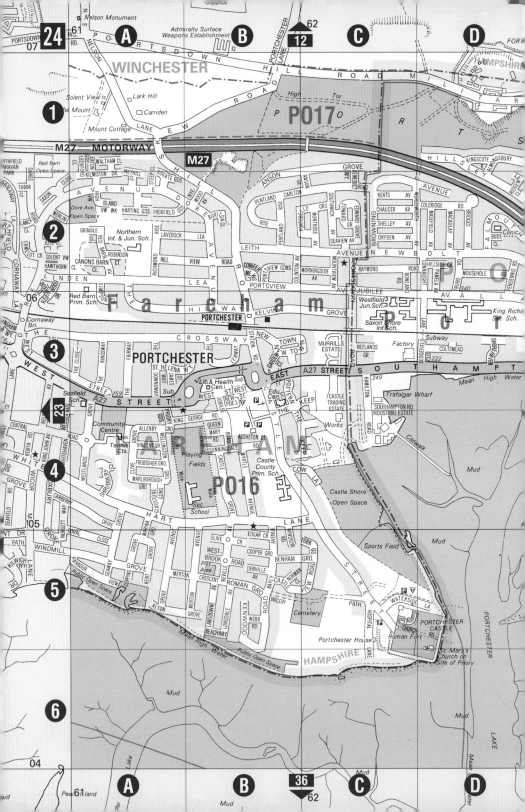

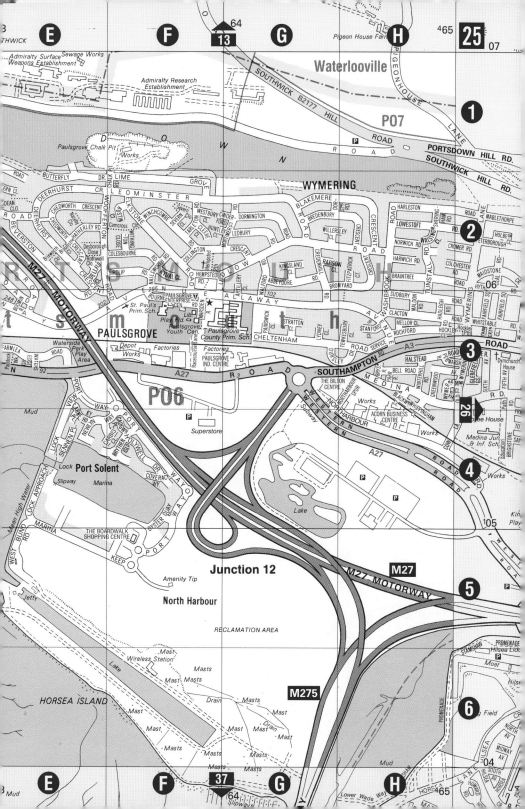

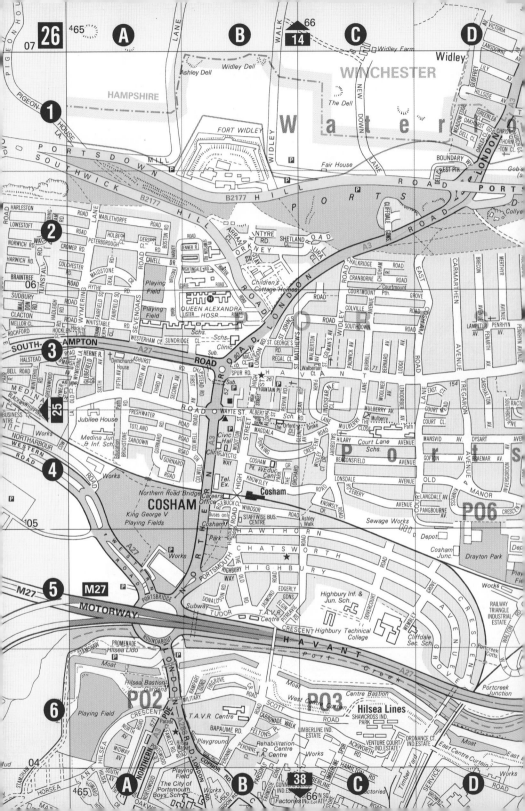

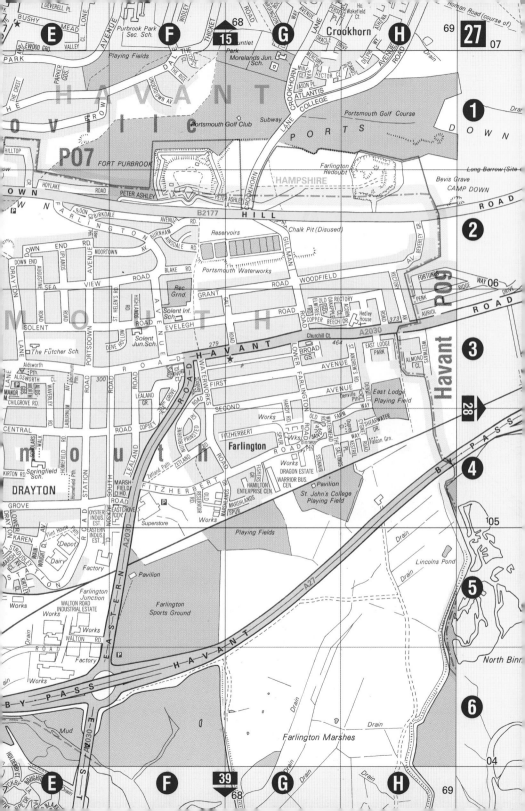

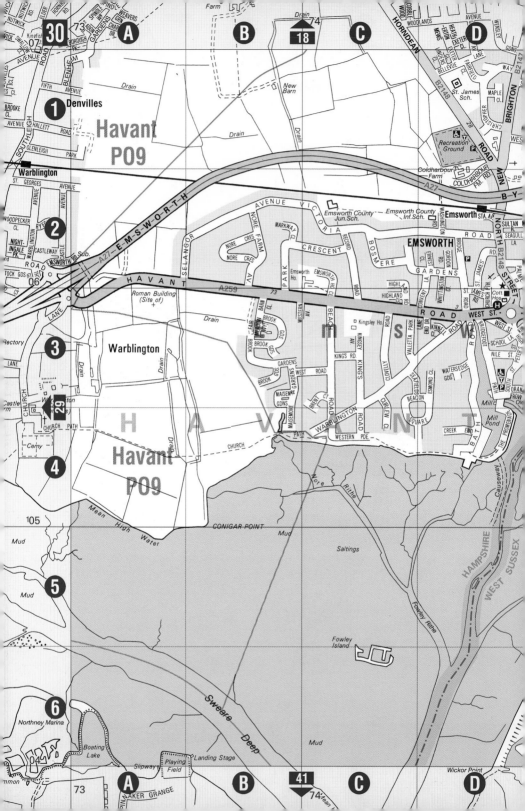

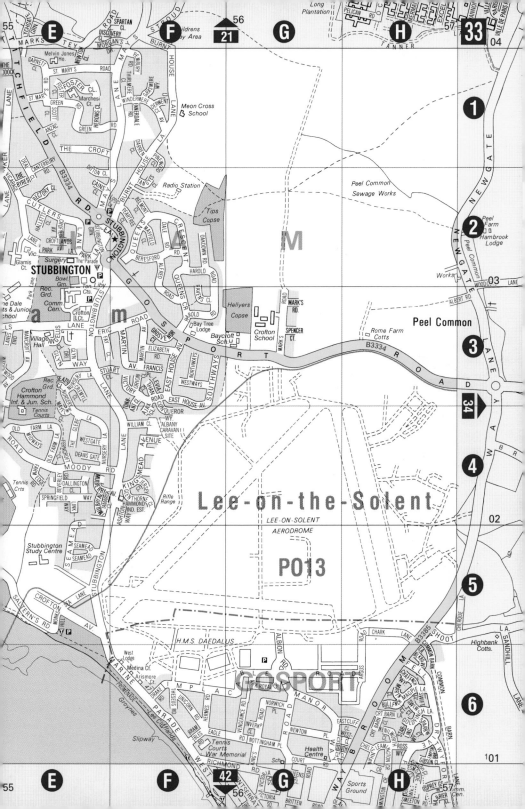

A　　B　62
24
C　　D

LAKE

1

Pewit Island

Spider

Mud

Mud

2

Mud

Mud

P O R T S M O U T H

Mud

BOMBKETCH LAKE

03

F
A
R
E
H
A
M

3

H A R B O U R

PORTCHESTER LAKE

Mud

Mud

35

Mud

L
A
K
E

Mean Low Water

4

Mean Low Water

Mud

Mud

02

Wks

PRIORY

Pier

P

Mud

Mud

ST. THOMAS'S

BLENHEIM

HOORNTON RD

CHAPEL
ST.

MONTGY
RD

NORE CL

THE SQ

LA VENUE CL
BUCKLERS RD

5

H
A
M
P
S
H
I
R
E

R
O
A
D

Mud

WOODWOOD
CL

GODWIX CL

Priddy's Hard

PIPIT CL

MERGANSER CL

LAPWING
CL

WIDGEON
CL

BITTERN CL

ROAD
GREEN
ROAD

Gosport
PO12

Groyne

Mud

Shell Pier

The

Mud

Mud

GROVE
GREEN

Sports
Ground

Camber
Basin

Mud

North Corner

Slipway

6

Hardway

GOSPORT

Groyne

Vehicular Ferries to:-
Bilbao (30hrs.)
Caen (6hrs.)
Cherbourg (4hrs.45mins.)
Le Harve (5hrs.45mins.)
St.Malo (9hrs.)
Santander (30hrs.)

SOUTH GROVE

Recreation Ground

01

Reservoir

Jetty

Mean Low Water

Slipway

VINCENT

R.M.

Rolling
Bri.

Gorton Lake

A　　B　45
62
C　　D

Boating Lake

Slipway

Landing Stage

Playing Field

Mud

SPIN_AKER GRANGE

NORTHNEY LA.

Northney

Northney Farm

CLOVELLY RD.

NORTH HAYLING

Church Farm

Church Lane

Eastney Farm

ST. PETER'S AV.

ney View

Drain

Drain

Mean High Water

Drain

Groynes

N   T

Upper Tye Farm

CHICHESTER   ROAD

GUNNER

Nursery

Slipway

Tye

ROAD

r   a   n   d

WOODGASON LANE

GUTNER LANE

Lower Tye Farm

Gutner Farm

Slipway

Mud

LOWER TYE FARM CARAVAN PARK

WOODGASON LANE

Slipways

High Water

Mud

Landing Stage

Mean Low Water

Mean High Water

Mean Low Water

HAMPSHIRE

WEST SUSSEX

Mean Low Water

Mean Low Water

Emsworth Channel

Mud

Mud

Wickor Point

CHICHESTER

Great Deep

Radio Mast

Wickor Barn

Drain

Drain

Emsworth

PO10

03

02

101

475

MILL RYTHE HOLIDAY VILLAGE

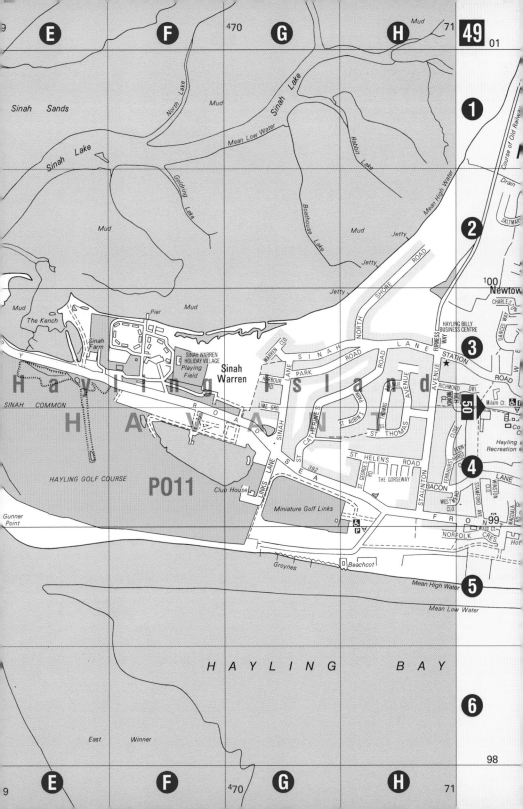

INDEX TO STREETS

HOW TO USE THIS INDEX

1. Each street name is followed by its Posttown or Postal Locality and then by its map reference; e.g. Abbeydore Rd. Ports —2G **25** is in the Portsmouth Posttown and is to be found in square 2G on page **25**. The page number being shown in bold type.
A strict alphabetical order is followed in which Av., Rd., St., etc. (though abbreviated) are read in full and as part of the street name; e.g. Abbotstone Av. appears after Abbots Clo. but before Abbots Way.

2. Streets and a selection of Subsidiary names not shown on the Maps, appear in the index in *Italics* with the thoroughfare to which it is connected shown in brackets; e.g. *Addenbroke. Gos —3E **45** (off Willis Rd.)*

GENERAL ABBREVIATIONS

All : Alley
App : Approach
Arc : Arcade
Av : Avenue
Bk : Back
Boulevd : Boulevard
Bri : Bridge
B'way : Broadway
Bldgs : Buildings
Bus : Business
Cen : Centre
Chu : Church
Chyd : Churchyard
Circ : Circle
Cir : Circus

Clo : Close
Comn : Common
Cotts : Cottages
Ct : Court
Cres : Crescent
Dri : Drive
E : East
Embkmt : Embankment
Est : Estate
Gdns : Gardens
Ga : Gate
Gt : Great
Grn : Green
Gro : Grove
Ho : House

Ind : Industrial
Junct : Junction
La : Lane
Lit : Little
Lwr : Lower
Mnr : Manor
Mans : Mansions
Mkt : Market
M : Mews
Mt : Mount
N : North
Pal : Palace
Pde : Parade
Pk : Park
Pas : Passage

Pl : Place
Rd : Road
S : South
Sq : Square
Sta : Station
St : Street
Ter : Terrace
Up : Upper
Vs : Villas
Wlk : Walk
W : West
Yd : Yard

POSTTOWN AND POSTAL LOCALITY ABBREVIATIONS

Alv : Alverstoke
Bed : Bedhampton
Cath : Catherington
Clan : Clanfield
Cosh : Cosham
Cowp : Cowplain
Den : Denmead
Dray : Drayton
Ems : Emsworth
Fare : Fareham

Farl : Farlington
Gos : Gosport
H'way : Hardway
Hav : Havant
Hay I : Hayling Island
Hils : Hilsea
Horn : Horndean
Ids : Idsworth
Lang : Langstone
Lee S : Lee-on-the-Solent

L Hth : Locks Heath
Love : Lovedean
Navy : HM Naval Base
N Boar : North Boarhunt
Portc : Portchester
Ports : Portsmouth
Prin : Prinsted
Pur : Purbrook
Row C : Rowland's Castle
S'brne : Southbourne

S'sea : Southsea
S'wick : Southwick
Seg E : Segensworth East
Stub : Stubbington
Titch : Titchfield
Water : Waterlooville
W'brne : Westbourne
White : Whiteley
Wick : Wickham
Wid : Widley

INDEX TO STREETS

Abbas Grn. Hav —2D **16**
Abbeydore Rd. Ports —2G **25**
Abbeyfield Dri. Fare —1E **21**
Abbey Rd. Fare —1F **21**
Abbots Clo. Water —5E **15**
Abbotstone Av. Hav —5G **17**
Abbots Way. Fare —2F **21**
A'Becket Ct. Ports —3A **46**
Aberdare Av. Ports —2D **26**
Aberdeen Clo. Fare —6G **9**
Abingdon Clo. Gos —3D **44**
Acacia Gdns. Water —2B **6**
Ackworth Rd. Ports —6C **26**
Acorn Bus. Cen. Ports —4H **25**
Acorn Clo. Gos —4D **34**
Acorn Clo. Ports —3H **27**
Acre La. Water —6C **6**
Actaeon Rd. Ports —3A **46**
Adair Rd. S'sea —5G **47**
Adames Rd. Ports —1E **47**
Adderbury Av. Ems —6D **18**
Addison Rd. S'sea —4E **47**
Adelaide Pl. Fare —2C **22**
Adelaide St. Ports —6A **38**
Adhurst Rd. Hav —5G **17**
Admiral Pk. Ind. Est., The. Ports
　　　　　　　　　　—2C **38**
Admirals Wlk. Gos —4B **44**
Admiral's Wlk. Ports —1H **45**
Admiralty Rd. Gos —5G **45**
Admiralty Rd. Ports —2A **46**
Adsdean Clo. Hav —5E **17**
Adstone La. Ports —1E **39**

Adur Clo. Gos —6F **35**
Aerodrome Rd. Gos —1D **34**
Agincourt Rd. Ports —6H **37**
Agnew Rd. Gos —2C **34**
Ainsdale Rd. Ports —2F **27**
Aintree Dri. Water —6B **6**
Airport Ind. Est. Ports —2D **38**
Airport Service Rd. Ports —2C **38**
Airspeed Rd. Ports —1D **38**
Ajax Clo. Fare —4F **33**
Alameda Rd. Water —5F **15**
Alameda Way. Water —5F **15**
Alan Gro. Fare —1G **21**
Albany Caravan Site. Fare
　　　　　　　　　　—4F **33**
Albany Rd. S'sea —4D **46**
Albatross Wlk. Gos —3B **34**
Albemarle Av. Gos —6H **35**
Albert Gro. S'sea —4D **46**
Albert Rd. Cosh —4B **26**
Albert Rd. Fare —3A **34**
Albert Rd. S'sea —4D **46**
Albert Rd. Water —2G **15**
Albert St. Gos —2E **45**
Albion Clo. Fare —5H **23**
Albion Rd. Lee S —5G **33**
Albretia Av. Water —4F **5**
Alchorne Pl. Ports —2D **38**
Alder La. Gos —2H **43**
Aldermoor Rd. Gos —6D **34**
Aldermoor Rd. Water —5F **15**
Aldermoor Rd. E. Water —4F **15**
Alders Rd. Fare —4B **22**
Alderwood Clo. Hav —6B **16**
Aldrich Rd. Ports —1A **46**

Aldridge Clo. Water —2G **3**
Aldroke St. Ports —4B **26**
Aldsworth Clo. Ports —3E **27**
Aldsworth Gdns. Ports —3E **27**
Aldsworth Path. Ports —3E **27**
Aldwell St. S'sea —3D **46**
Alec Rose La. Ports —2C **46**
Alecto Rd. Gos —4D **44**
Alencon Clo. Gos —5A **36**
Alexander Clo. Water —3F **15**
Alexander Gro. Fare —3A **22**
Alexandra Av. Hay I —5B **50**
Alexandra Rd. Ports —1D **46**
Alexandra St. Gos —1C **44**
Alex Lodge. Ports —1A **38**
Alfred Rd. Fare —2F **33**
Alfred Rd. Ports —2B **46**
Alfrey Clo. Ems —3H **31**
Algiers Rd. Ports —5D **38**
Alhambra Rd. S'sea —6E **47**
Allaway Av. Ports —3D **24**
Allbrook Ct. Hav —3D **16**
Allcot Rd. Ports —3B **38**
Allenby Gro. Fare —4A **24**
Allenby Rd. Gos —1A **44**
Allendale Av. Ems —6C **18**
Allen's Rd. S'sea —5E **47**
Alliance Clo. Gos —5D **34**
Allmara Dri. Water —5H **15**
All Saints Rd. Ports —6H **37**
All Saints St. Ports —1C **46**
Alma Gro. Gos —1C **44**
Alma Ter. S'sea —4G **47**
Almond Clo. Hav —3H **27**
Almond Clo. Water —3C **6**

Almondsbury Rd. Ports —1D **24**
Almondside. Gos —4E **35**
Alphage Rd. Gos —4F **35**
Alresford Rd. Hav —5E **17**
Alsford Rd. Water —4F **15**
Alten Rd. Water —5E **5**
Althorpe Dri. Ports —1E **39**
Alton Gro. Fare —5A **24**
Alum Way. Fare —2E **23**
Alvara Rd. Gos —5C **44**
Alver Bri. View. Gos —4D **44**
Alvercliffe Dri. Gos —5B **44**
Alver Quay. Gos —4D **44**
Alver Rd. Gos —4D **44**
Alver Rd. Ports —1E **47**
Alverstone Rd. S'sea —2G **47**
Alveston Av. Fare —3F **21**
Amberley Rd. Clan —2H **3**
Amberley Rd. Gos —5G **35**
Amberley Rd. Ports —2A **38**
Ambleside Ct. Gos —6C **44**
Amersham Clo. Gos —3A **44**
Amethyst Gro. Water —1B **16**
Ampfield Clo. Hav —5B **16**
Amport Ct. Hav —3D **16**
Amyas Ct. S'sea —3A **48**
Anchorage Rd. Ports —2D **38**
Anchorage, The. Gos —3E **45**
Anchor Ga. Ports —1B **46**
Anchor Ga. Rd. Navy —1A **46**
Anchor La. Ports —2H **45**
Anderson Clo. Hav —4G **17**
Andover Ho. Hav —4G **17**
Andover Rd. S'sea —5F **47**
Andrew Bell St. Ports —1C **46**

Andrew Clo. Ports —1F **47**
Andrew Cres. Water —6F **5**
Andrew Pl. Fare —3D **32**
Angelica Ct. Water —3A **16**
Angelo Clo. Water —1A **16**
Angerstein Rd. Ports —4H **37**
Anglesea Rd. Lee S —3E **43**
Anglesea Rd. Ports —2B **46**
Anglesey Arms Rd. Gos —5C **44**
Anglesey Rd. Gos —6C **44**
Anglesey View. Gos —4D **44**
Angus Clo. Fare —6G **9**
Anjou Cres. Fare —1F **21**
Anker La. Fare —1E **33**
Ankerwyke. Gos —4B **34**
Anmore Dri. Water —5F **5**
Anmore La. Water —2C **4**
Anne Cres. Water —3G **15**
Ann's Hill Rd. Gos —1C **44**
Anson Clo. Gos —2H **43**
Anson Gro. Fare —2B **24**
Anson Rd. S'sea —2G **47**
Anthony Gro. Fare —4F **35**
Anthony Way. Ems —6D **18**
Anvil Clo. Water —5C **6**
Anzac Clo. Fare —1E **33**
Apex Cen. Fare —6A **22**
Apollo Dri. Water —6H **15**
Appleshaw Grn. Hav —5C **16**
Appleton Rd. Fare —2E **21**
Applewood Gro. Water —6E **15**
Applewood Rd. Hav —6C **16**
Apsley Rd. S'sea —3G **47**
Archer Ho. Gos —6E **45**
Archery La. Fare —1C **22**
Arden Clo. Gos —3B **44**
Ardington Rise. Water —6G **15**
Argus Rd. Lee S —6H **33**
Argyle Cres. Fare —1G **21**
Ariadne Rd. Ports —3A **46**
Ariel Rd. Ports —2E **47**
Arismore Ct. Lee S —6F **33**
Ark Royal Cres. Lee S —6G **33**
Arle Clo. Water —1C **2**
Arminers Clo. Gos —6D **44**
Armory La. Ports —3A **46**
Armstrong Clo. Water —5F **5**
Arnaud Clo. Ports —6H **37**
Arnside Rd. Water —1G **15**
Arragon Ct. Water —1A **16**
Arran Clo. Ports —2B **26**
Arras Ho. Fare —1E **21**
Arreton Ct. Gos —2C **44**
Arthur Kille Ho. Water —3F **15**
Arthur St. Ports —6A **38**
Artillery Clo. Ports —2G **25**
Arundel Dri. Fare —1A **22**
Arundel Pl. Ports —2C **46**
Arundel Rd. Gos —2B **44**
Arundel St. Ports —2C **46**
Arundel Way. Ports —2C **46**
Ascot Rd. Ports —6C **38**
Ashburton Rd. Gos —5B **44**
Ashburton Rd. S'sea —5C **46**
Ashby Pl. S'sea —5C **46**
Ash Clo. Fare —3G **21**
Ash Clo. Gos —3D **44**
Ash Clo. Water —4G **5**
Ash Copse. Water —2H **5**
Ashdown. Gos —4D **34**
Ashe Rd. Hav —4H **17**
Ashington Clo. Water —3A **6**
Ashlett Lawn. Hav —3D **16**
Ashley Clo. Hav —5D **16**
Ashley Clo. Water —2H **5**

Ashley Ct. Gos —2D **44**
Ashley Wlk. Ports —4C **26**
Ashling Clo. Water —3B **4**
Ashling Gdns. Water —3B **4**
Ashling La. Ports —4H **37**
Ashling Pk. Rd. Water —3B **4**
Ashlyn Clo. Fare —2E **21**
Ashtead Clo. Fare —3G **23**
Ashton Way. Fare —4F **33**
Ashurst Clo. Gos —4H **43**
Ashurst Rd. Ports —3A **26**
Ashwood Clo. Hav —6B **16**
Ashwood Clo. Hay I —4C **50**
Ashwood Lodge. Fare —1B 22
(off Northwood Sq.)
Aspen Clo. Gos —4E **35**
Aspen Way. Water —2A **6**
Assheton Ct. Fare —4B **24**
Astley St. S'sea —3C **46**
Aston Rd. S'sea —4F **47**
Aston Rd. Water —6F **5**
Astra Wlk. Gos —3F **45**
Astrid Clo. Hay I —4E **51**
Atalanta Clo. S'sea —2A **48**
Athena Av. Water —6H **15**
Atherley Rd. Hay I —3A **50**
Atherstone Wlk. S'sea —3C **46**
Atkinson Clo. Gos —5C **44**
Atkins Pl. Fare —6E **9**
Atlanta Works Ind. Est. Ports
—3H **37**
Atlantis Av. Water —1G **27**
Auckland Rd. E. S'sea —5C **46**
Auckland Rd. W. S'sea —5C **46**
Audret Clo. Fare —5H **23**
Augustine Rd. Cosh —2E **27**
Auriol Dri. Hav —3H **27**
Austerberry Way. Gos —5E **35**
Austin Ct. Ports —2F **25**
Australia Clo. Ports —2D **46**
Aust Rd. Fare —3F **21**
Avenue Ct. Gos —5C **44**
Avenue Ho. Ports —2A **38**
Avenue Rd. Fare —2H **21**
Avenue Rd. Gos —5C **44**
Avenue Rd. Hay I —2B **40**
Avenue, The. Fare —3D **20**
Avenue, The. Gos —5C **44**
Avery La. Gos —6F **35**
Avington Grn. Hav —3H **17**
Avocet Ho. S'sea —2H **47**
Avocet Quay. Ems —4E **31**
Avocet Wlk. Gos —3A **34**
Avon Clo. Lee S —2D **42**
Avondale Rd. Ports —6B **38**
Avondale Rd. Water —1H **15**
Avon Wlk. Fare —3G **23**
Awbridge Rd. Hav —5C **16**
Aylen Rd. Ports —3C **38**
Aylesbury Rd. Ports —5B **38**
Ayling Clo. Gos —6C **34**
Aylward St. Ports —2A **46**
Aysgarth Rd. Water —1G **15**

Back La. S'wick —3C **12**
Bacon La. Hay I —4H **49**
Baddesley Gdns. Hav —2D **16**
Baden-Powell Rd. Gos —1B **44**
Badger Brow. Water —3A **16**
Badger Clo. Fare —1F **21**
Badger Rd. Fare —6H **21**
Baffins Rd. Ports —1G **47**
Bailey's Rd. S'sea —3D **46**
Baker St. Ports —6H **37**
Balderton Clo. Ports —1B **38**
Balfour Clo. Gos —1H **43**

Balfour Rd. Ports —4A **38**
Ballard Ct. Gos —3D **44**
Balliol Rd. Ports —5A **38**
Balmoral Clo. Gos —3D **34**
Balmoral Dri. Water —5E **15**
Balmoral Rd. Fare —6G **9**
Bankside. Gos —5B **44**
Bapaume Rd. Ports —6B **26**
Bardon Way. Fare —3F **21**
Barfleur Clo. Fare —1F **21**
Barfleur Rd. Fare —6A **22**
Barham Clo. Gos —1D **44**
Barkis Ho. Ports —1D **46**
Barlow Clo. Fare —3D **32**
Barn Clo. Ems —3B **30**
Barncroft Way. Hav —5D **16**
Barnes Rd. Ports —1E **47**
Barnes Wallis Rd. Seg E —5A **8**
Barnes Way. Hav —6D **16**
Barney Evans Cres. Water —4F **5**
Barnfield Clo. Ems —2H **31**
Barnfield Ct. Fare —3G **21**
Barn Fold. Water —6B **6**
Barn Grn. Clo. Water —3B **4**
Barnwood Rd. Fare —2F **21**
Baronsmere Ct. Gos —3C **44**
Barracks Rd. S'sea —5A **48**
Bartlett Clo. Fare —6G **9**
Barton Cross. Water —6B **2**
Barton Gro. Ports —2D **38**
Bartons Rd. Hav —4G **17**
Barwell Gro. Ems —6C **18**
Basing Rd. Hav —4E **17**
Basin Path. Ports —5H **37**
Basin St. Ports —5H **37**
Bassett Wlk. Hav —3D **16**
Bathing La. Ports —4H **45**
Bath Rd. Ems —4D **30**
Bath Rd. S'sea —4F **47**
Bath Sq. Ports —3H **45**
Bath & Wells Ct. Gos —1G **43**
Battenburg Av. Ports —3A **38**
Battenburg Rd. Gos —2E **45**
Battens Way. Hav —5F **17**
Battery Clo. Gos —5F **35**
Battery Promenade. Ports
—4H **45**
Battery Row. Ports —4A **46**
Baybridge Rd. Hav —4H **17**
Bayly Av. Fare —5B **24**
Bay Rd. Gos —4B **44**
Baythorn Clo. Ports —6H **37**
Bay Tree Lodge. Fare —3F **33**
Beach Rd. Ems —3C **30**
Beach Rd. Hay I —5A **50**
(in two parts)
Beach Rd. Lee S —2C **42**
Beach Rd. S'sea —6D **46**
Beachway. Fare —5B **24**
Beaconsfield Av. Ports —4C **26**
Beaconsfield Rd. Fare —3B **22**
Beaconsfield Rd. Water —1G **15**
Beacon Sq. Ems —3C **30**
Beatrice Rd. S'sea —5E **47**
Beatty Dri. Gos —5B **44**
Beauchamp Av. Gos —3C **34**
Beaufort Av. Fare —6H **9**
Beaufort Rd. Hav —1D **28**
Beaufort Rd. S'sea —6D **46**
Beaulieu Av. Fare —3G **23**
Beaulieu Av. Hav —3D **16**
Beaulieu Pl. Gos —3C **34**
Beaulieu Rd. Ports —4A **38**
Beaumont Clo. Fare —6F **9**
Beaumont Ct. Gos —5G **35**
Beaumont Rise. Fare —5F **9**
Beck St. Ports —2B **46**

Bedenham La. Gos —2D **34**
(in three parts)
Bedford Clo. Hav —3H **29**
Bedford St. Gos —1C **44**
Bedford St. S'sea —3C **46**
Bedhampton Hill. Hav —2A **28**
(in two parts)
Bedhampton Rd. Hav —1C **28**
Bedhampton Rd. Ports —5B **38**
Bedhampton Way. Hav —5F **17**
Beecham Rd. Ports —6A **38**
Beech Clo. Water —5H **5**
Beechcroft Clo. Fare —2E **21**
Beechcroft Rd. Gos —4C **44**
Beech Gro. Gos —4C **44**
Beech Gro. Hay I —3D **50**
Beech Rd. Fare —1G **21**
Beech Rd. Water —2G **3**
Beech Way. Water —2B **6**
Beechwood Av. Water —3G **15**
Beechwood Lodge. Fare —1B **22**
Beechwood Rd. Ports —1A **38**
Beechworth Rd. Hav —2F **29**
Beehive Wlk. Ports —3A **46**
Beeston St. Ports —6A **38**
Behrendt Clo. Gos —1C **44**
Belgravia Rd. Ports —4B **38**
Bellair Rd. Hav —2G **29**
Bell Cres. Water —3G **15**
Bell Davies Rd. Fare —4D **32**
Bellevue La. Ems —1D **30**
Bellevue Ter. S'sea —4B **46**
Bellfield. Fare —4B **20**
Bell Rd. Ports —3H **25**
Bells La. Fare —3E **33**
Belmont Clo. Fare —2F **33**
Belmont Clo. Water —2C **2**
Belmont Gro. Hav —1C **28**
Belmont Pl. S'sea —4C **46**
Belmont St. S'sea —4C **46**
Belmore Clo. Ports —6A **38**
Belvoir Clo. Fare —6F **9**
Bembridge Ct. Hay I —6E **51**
Bembridge Cres. S'sea —6E **47**
Bembridge Dri. Hay I —6E **51**
Bembridge Lodge. Lee S —2C **42**
Bemister's La. Gos —3G **45**
Benbow Clo. Water —6C **2**
Benbow Pl. Ports —2A **46**
Benedict Way. Fare —2C **24**
Beneficial St. Ports —2A **46**
Benham Dri. Ports —1B **38**
Benham Gro. Fare —5B **24**
Bentham Rd. Gos —4D **44**
Bentley Clo. Water —5C **2**
Bentley Cres. Fare —1H **21**
Bentworth Clo. Hav —5D **16**
Bere Rd. Water —3B **4**
Beresford Clo. Water —3G **15**
Beresford Pas. S'sea —5C **46**
Beresford Rd. Fare —2F **33**
Beresford Rd. Ports —4A **38**
Berkeley Clo. Fare —3D **32**
Berkeley Sq. Hav —2H **29**
Berkshire Clo. Ports —2D **46**
Bernard Av. Ports —3C **26**
Berney Rd. S'sea —3A **48**
Bernina Av. Water —5E **5**
Bernina Clo. Water —5E **5**
Berrydown Rd. Hav —2C **16**
Berry La. Fare —3C **32**
Berry Meadow Cotts. S'wick
—3C **12**
Bertie Rd. S'sea —3H **47**
Berwyn Wlk. Fare —3G **21**
Beryl Av. Gos —5F **35**
Beryton Clo. Gos —1C **44**

Beryton Rd. Gos —1C **44**
Bettesworth Rd. Ports —6A **38**
Betula Clo. Water —3A **16**
Bevan Rd. Water —2H **5**
Beverley Clo. Gos —3D **34**
Beverley Gro. Ports —2H **27**
Beverley Rd. Fare —4E **33**
Beverston Rd. Ports —2E **25**
Bevis Rd. Gos —2D **44**
Bevis Rd. Ports —4H **37**
Bevis Rd. N. Ports —4H **37**
Bickton Wlk. Hav —3D **16**
Bidbury La. Hav —2C **28**
Biddlecombe Clo. Gos —5C **34**
Biggin Wlk. Fare —3G **21**
Billett Av. Water —6H **5**
Billing Clo. S'sea —4H **47**
Billy Lawn Av. Hav —4F **17**
Bilton Bus. Pk. Ports —3E **39**
Bilton Cen., The. Ports —3G **25**
Binness Path. Ports —4G **27**
Binness Way. Ports —4G **27**
Binsteed Rd. Ports —5A **38**
Birch Clo. Water —4G **5**
Birch Dri. Gos —1C **34**
Birchmore Clo. Gos —3C **34**
Birch Tree Clo. Ems —5D **18**
Birch Tree Dri. Ems —5D **18**
Birchwood Lodge. Fare —1B 22
(off Northwood Sq.)
Birdham Rd. Hay I —5G **51**
Birdlip Clo. Water —1A **6**
Birdlip Rd. Ports —2F **25**
Birdwood Gro. Fare —3F **23**
Birkdale Av. Ports —2E **27**
Birmingham Ct. Gos —2H **43**
Biscay Clo. Fare —2D **32**
Bishopsfield Rd. Fare —4G **21**
Bishopstoke Rd. Hav —4E **17**
Bishop St. Ports —2A **46**
Bittern Clo. Gos —6H **35**
Bitterne Clo. Hav —3F **17**
Blackberry Clo. Water —1D **2**
Blackbird Clo. Water —3H **5**
Blackbird Way. Lee S —6H **33**
Blackbrook Bus. Pk. Fare —2G **21**
Blackbrook Ho. Dri. Fare —2G **21**
Blackbrook Pk. Av. Fare —2G **21**
Blackbrook Rd. Fare —1E **21**
Blackburn Ct. Gos —2H 43
(off Gazelle Clo.)
Blackcap Clo. Row C —6G **7**
Blackdown Cres. Hav —5E **17**
Blackfriars Clo. S'sea —3D **46**
Blackfriars Rd. S'sea —3D **46**
Blackhouse La. N Boar —1G **11**
Blackmoor Wlk. Hav —4F **17**
Blackthorn Dri. Gos —4G **35**
Blackthorn Dri. Hay I —4E **51**
Blackthorn Rd. Hay I —4E **51**
Blackthorn Ter. Ports —1B **46**
Blackthorn Wlk. Water —6B **6**
Blackwater Clo. Ports —3H **25**
Bladon Clo. Hav —6A **18**
Blake Ct. Gos —3G **45**
Blakemere Cres. Ports —2G **25**
Blake Rd. Gos —2E **45**
Blake Rd. Ports —2F **27**
Blakesley La. Ports —1E **39**
Blankney Clo. Fare —3D **32**
Blaven Wlk. Fare —3G **21**
Blendworth Cres. Hav —6E **17**
Blendworth La. Horn —6D **2**
Blendworth Rd. S'sea —2H **47**
Blenheim Ct. S'sea —4G **47**
Blenheim Gdns. Gos —5H **35**
Blenheim Gdns. Hav —1H **29**

Blenheim Rd. Water —2A **6**
Bliss Clo. Water —4G **15**
Blissford Clo. Hav —3H **17**
Blossom Sq. Ports —1A **46**
Blount Rd. Ports —4B **46**
Bluebell Clo. Water —3H **15**
Boardwalk Shopping Cen., The.
Cosh —5F **25**
Boarhunt Clo. Ports —2D **46**
Boarhunt Rd. Fare —6E **11**
Boatyard Ind. Est., The. Fare
—3A **22**
Bodmin Rd. Ports —3E **25**
Bolde Clo. Ports —2D **38**
Boldens Rd. Gos —6D **44**
Boldre Clo. Hav —5C **16**
Boltons, The. Water —6G **15**
Bonchurch Rd. S'sea —2G **47**
Bondfields Cres. Hav —3E **17**
Bonfire Corner. Ports —1A **46**
Bordon Rd. Hav —4F **17**
Bosham Rd. Ports —5B **38**
Bosham Wlk. Gos —3B **34**
Bosmere Gdns. Ems —2C **30**
Bosmere Rd. Hay I —5G **51**
Boston Rd. Ports —2A **26**
Botley Dri. Hav —3D **16**
Boughton Ct. Ports —1E **39**
Boulter La. S'wick —2E **13**
Boulton Rd. S'sea —4E **47**
Boundary Way. Hav —2E **29**
Boundary Way. Ports —1D **26**
Bound La. Hay I —5C **50**
Bourne Clo. Water —1B **6**
Bournemouth Av. Gos —5G **35**
Bournemouth Ho. Hav —4G **17**
Bourne Rd. Ports —3F **25**
Bourne View. Ems —1H **31**
Bowers Clo. Water —3A **6**
Bowes Hill. Row C —4H **7**
Bowes Lyon Ct. Water —6B **2**
Bowler Av. Ports —1F **47**
Bowler Ct. Ports —1F **47**
Boxwood Clo. Fare —2H **23**
Boxwood Clo. Water —3G **15**
Boyd Clo. Fare —4D **32**
Boyd Rd. Gos —2B **34**
Boyle Cres. Water —4F **15**
Bracken Heath. Water —6B **6**
Bracklesham Rd. Gos —5D **34**
Bracklesham Rd. Hay I —6H **51**
Bradford Ct. Gos —1G **43**
Bradford Rd. S'sea —3D **46**
Brading Av. Gos —3C **34**
Brading Av. S'sea —5G **47**
Bradley Ct. Hav —3H **17**
Bradly Rd. Fare —1E **21**
Braemar Av. Ports —4D **26**
Braemar Clo. Fare —6G **9**
Braemar Clo. Gos —3D **34**
Braemar Rd. Gos —2D **34**
Braintree Rd. Ports —2H **25**
Braishfield Rd. Hav —5G **17**
Bramber Rd. Gos —6G **35**
Bramble Clo. Fare —4C **32**
Bramble Clo. Hav —6A **18**
Bramble La. Water —1F **3**
Bramble Rd. S'sea —3E **47**
Brambles Rd. Lee S —6F **33**
Bramble Way. Gos —3A **34**
Brambling Rd. Row C —6H **7**
Bramdean Dri. Hav —4D **16**
Bramham Moor. Fare —3D **32**
Bramley Clo. Water —1H **15**
Bramley Gdns. Gos —6C **44**
Brampton La. Ports —1E **39**
Bramshaw Ct. Hav —4H **17**

Bramshott Rd. S'sea —3F **47**
Brandon Rd. S'sea —5D **46**
Bransbury Rd. S'sea —4H **47**
Bransgore Av. Hav —5C **16**
Brasted Ct. S'sea —2A **48**
Braunstone Clo. Ports —2E **25**
Braxell Lawn. Hav —3D **16**
Breach Av. Ems —1H **31**
Brecon Av. Ports —2D **26**
Brecon Clo. Fare —3G **21**
Bredenbury Cres. Ports —2G **25**
Bredon Wlk. Fare —3G **21**
Brenchley Clo. Fare —4H **23**
Brendon Rd. Fare —3F **21**
Brent Ct. Ems —3C **30**
Brewers La. Gos —3C **34**
Brewers St. Ports —1C **46**
Brewhouse Sq. Gos —1F **45**
Brewster Clo. Water —4A **6**
Briar Clo. Gos —4A **44**
Briar Clo. Water —2B **6**
Briarfield Gdns. Water —1B **6**
Briarwood Clo. Fare —3B **22**
Briarwood Gdns. Hay I —4B **50**
Bridefield Clo. Water —4F **5**
Bridefield Cres. Water —4F **5**
Bridgefoot Dri. Fare —2C **22**
Bridgefoot Hill. Fare —2D **22**
Bridgefoot Path. Ems —3D **30**
Bridge Ho. Gos —1C **34**
Bridge Industries. Fare —6C **10**
Bridgemary Av. Gos —2D **34**
Bridgemary Gro. Gos —6C **22**
Bridgemary Rd. Gos —6C **22**
Bridgemary Way. Gos —6C **22**
Bridge Rd. Ems —2D **30**
Bridges Av. Ports —2D **24**
Bridge Shopping Cen., The. Ports
—2E **47**
Bridgeside Clo. Ports —2D **46**
Bridge St. Titch —3C **20**
Bridge St. Wick —1B **10**
Bridget Clo. Water —6C **2**
Bridle Path. Water —5B **2**
Bridport St. Ports —2C **46**
Brigham Clo. Ports —2A **38**
Brighstone Rd. Ports —4A **26**
Brighton Av. Gos —5F **35**
Brightside. Water —3F **15**
Brights La. Hay I —2B **50**
Bristol Clo. Gos —2G **43**
Bristol Rd. S'sea —5F **47**
Britain St. Ports —2A **46**
Britannia Rd. S'sea —3D **46**
Britannia Rd. N. S'sea —3D **46**
Britten Rd. Lee S —1C **42**
Britten Way. Water —5G **15**
Brixworth Clo. Ports —2E **25**
Broadcut. Fare —1C **22**
Broad Gdns. Ports —3G **27**
Broadlands Av. Water —3G **15**
Broadlaw Wlk. Shopping Precinct.
Fare —4G **21**
Broadmeadows La. Water —2A **16**
Broadmere Av. Hav —4F **17**
Broadsands Dri. Gos —4H **43**
Broadsands Wlk. Gos —4A **44**
Broad St. Ports —3H **45**
Broad Wlk. Ids —2F **7**
Broadway La. Love —1F **5**
Brockenhurst Av. Hav —3D **16**
Brockhampton La. Hav —2E **29**
Brockhampton Rd. Hav —3D **28**
Brockhurst Ind. Est. Gos —4F **35**
Brockhurst Rd. Gos —5F **35**
Brocklands. Hav —2D **28**
Brodrick Av. Gos —4C **44**

Brompton Pas. Ports —6H **37**
Brompton Rd. S'sea —5F **47**
Bromyard Cres. Ports —2G **25**
Brookdale Clo. Water —1H **15**
Brookers La. Gos —2A **34**
Brook Farm Av. Fare —2H **21**
Brookfield Clo. Hav —1E **29**
Brookfield Rd. Ports —1E **47**
Brook Gdns. Ems —3B **30**
Brooklands Rd. Hav —1B **28**
Brooklyn Dri. Water —1H **15**
Brookmeadow. Fare —2H **21**
Brookmead Way. Hav —3F **29**
Brookside. Gos —6B **22**
Brookside Clo. Water —3B **4**
Brookside Rd. Bed —1C **28**
Brookside Rd. Hav —3D **28**
Broom Clo. S'sea —2B **48**
Broom Clo. Water —3A **16**
Broomfield Cres. Gos —6B **34**
Broom Sq. S'sea —3B **48**
Broom Way. Lee S —6H **33**
Brougham La. Gos —1C **44**
Brougham Rd. S'sea —3C **46**
Brougham St. Gos —1C **44**
Browndown Rd. Lee S —4G **43**
Browning Av. Ports —2C **24**
Brownlow Clo. Ports —6H **37**
Browns La. Ports —1D **38**
Brownwich La. Fare —4A **20**
Brow Path. Water —1E **27**
Brow, The. Gos —3G **45**
Brow, The. Water —1E **27**
Broxhead Rd. Hav —3G **17**
Bruce Clo. Fare —6A **10**
Bruce Rd. S'sea —5F **47**
Brune La. Lee S & Gos —4A **34**
Brunel Rd. Ports —2A **38**
Brunel Way. Seg E —4A **8**
Brunswick Gdns. Hav —1D **28**
Brunswick St. S'sea —3C **46**
Bryony Way. Water —2A **16**
Bryson Rd. Ports —3H **25**
Bryther Island. Ports —4F **25**
Buckby La. Ports —1E **39**
Buckingham Ct. Fare —6G **9**
Buckingham Grn. Ports —6A **38**
Buckingham St. Ports —1C **46**
Buckland Clo. Water —4F **5**
Buckland Path. Ports —6H **37**
Buckland St. Ports —6H **37**
(in two parts)
Bucklers Ct. Hav —2D **16**
Bucklers Ct. Ports —4H **37**
Bucklers Rd. Gos —5A **36**
Bucksey Rd. Gos —5C **34**
Buddens Rd. Wick —1B **10**
Bude Clo. Ports —2D **24**
Bulbarrow Wlk. Fare —3G **21**
Bulbeck Rd. Hav —2F **29**
Bullfinch Ct. Lee S —6H **33**
Bulls Copse La. Water —1A **6**
Bunting Gdns. Water —3H **5**
Burbidge Gro. S'sea —5G **47**
Burcote Dri. Ports —4F **17**
Burdale Dri. Hay I —4F **51**
Burgate Clo. Hav —6D **16**
Burgess Clo. Hay I —6F **51**
Burgess Rd. Ports —1H **47**
Burghclere Rd. Hav —3H **17**
Burgoyne Rd. S'sea —6D **46**
Burgundy Ter. Ports —2A **38**
Buriton Clo. Fare —2B **24**
Buriton St. Ports —2D **46**
Burleigh Rd. Ports —6B **38**
Burley Clo. Hav —3H **17**
Burlington Rd. Ports —4A **38**

Burnaby Rd. Ports —2B **46**
Burnett Rd. Gos —1B **44**
Burney Rd. Gos —4A **44**
Burnham Rd. Ports —2F **27**
Burnhams Wlk. Gos —3F **45**
Burnham Wood. Fare —6A **10**
Burnside. Gos —6B **22**
Burnside. Water —6A **6**
Burnt Ho. La. Fare —2F **33**
Burrfields Rd. Ports —4C **38**
Burrill Av. Ports —3C **26**
Burrows Clo. Hav —6G **17**
Burrows Rd. Ports —1H **47**
Bursledon Pl. Water —4F **15**
Bursledon Rd. Water —4F **15**
Burwood Gro. Hay I —3C **50**
Bury Clo. Gos —3D **44**
Bury Cres. Gos —3D **44**
Bury Cross. Gos —3C **44**
Bury Hall La. Gos —4B **44**
Bury Rd. Gos —3C **44**
Bush St. E. S'sea —4C **46**
Bush St. W. S'sea —4C **46**
Bushy Mead. Water —6E **15**
Butcher St. Ports —2A **46**
Butser Wlk. Fare —3G **21**
Butterfly Dri. Ports —2E **25**
Byerley Clo. Ems —4F **19**
Byerley Rd. Ports —2F **47**
(in two parts)
Byrd Clo. Water —4G **15**
Byres, The. Fare —2E **33**
Byron Clo. Fare —1A **22**
Byron Rd. Ports —5B **38**

Cadgwith Pl. Ports —4F **25**
Cadnam Ct. Gos —4H **43**
Cadnam Lawn. Hav —2D **16**
Cadnam Rd. S'sea —4H **47**
Cador Dri. Fare —5H **23**
Caen Ho. Fare —3G **21**
Cains Clo. Fare —2E **33**
Cairo Ter. Ports —6H **37**
Caldecote Wlk. S'sea —3C **46**
Calshot Rd. Hav —2C **16**
Calshot Way. Gos —4B **34**
Camber Pl. Ports —4A **46**
Cambrian Wlk. Fare —4H **21**
Cambridge Junct. Ports —3B **46**
Cambridge Rd. Gos —1A **44**
Cambridge Rd. Lee S —2D **42**
Cambridge Rd. Ports —3B **46**
Camcross Clo. Ports —2F **25**
Camden St. Gos —1C **44**
Camelot Cres. Fare —2H **23**
Cameron Clo. Gos —2C **34**
Campbell Cres. Water —4E **15**
Campbell Rd. S'sea —4D **46**
Campion Clo. Water —3A **16**
Camp Rd. Gos —2D **34**
Cams Bay Clo. Fare —2F **23**
Cams Hill. Fare —2D **22**
(in two parts)
Canal Wlk. Ports —2D **46**
Cannock Lawn. S'sea —3D **46**
Cannock Wlk. Fare —4G **21**
Canons Barn Clo. Fare —2A **24**
Canterbury Clo. Lee S —3F **43**
Canterbury Rd. Fare —1E **33**
Canterbury Rd. S'sea —4F **47**
Capel Ley. Water —5G **15**
Captains Row. Ports —4A **46**
Captain's Wlk. Ports —3A **46**
Carberry Dri. Fare —4H **23**
Carbery Ct. Hav —2D **16**
Carbis Clo. Cosh —4F **25**

Cardiff Rd. Ports —3H **37**
Cardinal Dri. Water —6B **6**
Carisbrooke Av. Fare —3C **32**
Carisbrooke Clo. Hav —1H **29**
Carisbrooke Rd. Gos —2B **34**
Carisbrooke Rd. S'sea —3G **47**
Carless Clo. Gos —6D **34**
Carlisle Rd. S'sea —2D **46**
Carlton Rd. Fare —2B **24**
Carlton Rd. Gos —2E **45**
Carlton Way. Gos —2E **45**
Carlyle Rd. Gos —2D **44**
Carmarthen Av. Ports —2D **26**
Carnarvon Rd. Gos —3C **44**
Carnarvon Rd. Ports —5B **38**
Carne Pl. Cosh —4E **25**
Caroline Gdns. Fare —1E **21**
Caroline Pl. Gos —1D **44**
Carpenter Clo. S'sea —4G **47**
Carran Wlk. Fare —4G **21**
Carronade Wlk. Ports —6B **26**
Carshalton Av. Ports —3D **26**
Carter Ho. Gos —6B 22
(off Woodside)
Cartwright Dri. Titch —1A **20**
Cascades App. Ports —1C **46**
Cascades Cen. Ports —1C **46**
Cask St. Ports —1C **46**
Caspar John Clo. Fare —4D **32**
Castle Av. Hav —2H **29**
Castle Av. S'sea —6C **46**
Castle Clo. S'sea —4C **46**
Castle Esplanade. S'sea —6C **46**
Castle Gro. Fare —4B **24**
Castlemans La. Hay I —4C **40**
Castle Marina. Lee S —2D **42**
Castle Rd. Row C —5G **7**
Castle Rd. S'sea —4B **46**
Castle Rd. S'wick —3D **12**
Castle St. Portc —3B **24**
Castle St. Titch —3C **20**
Castle Trading Est. Fare —3C **24**
Castle View Rd. Fare —5B **24**
Castleway. Hav —2H **29**
Catherington Hill. Cath —2B **2**
Catherington La. Water —5A **2**
Catherington Way. Hav —5F **17**
Catisfield La. Fare —2D **20**
Catisfield Rd. Fare —2E **21**
Catisfield Rd. S'sea —2H **47**
Causeway Farm. Water —1B **6**
Causeway, The. Fare —2E **23**
Cavanna Clo. Gos —2B **34**
Cavell Dri. Ports —2A **26**
Cavendish Clo. Water —1H **15**
Cavendish Dri. Water —1H **15**
Cavendish Ho. S'sea —4D **46**
Cavendish Rd. S'sea —4D **46**
Cawte's Pl. Fare —2C **22**
Cecil Gro. S'sea —4B **46**
Cecil Pl. S'sea —4B **46**
Cedar Clo. Gos —4G **35**
Cedar Clo. Water —3G **15**
Cedar Ct. Fare —2C **22**
Cedar Cres. Water —2C **6**
Cedar Gro. Ports —6D **38**
Cedar Way. Fare —3G **21**
Cedarwood Lodge. Fare —1B 22
(off Northwood Sq.)
Celandine Av. Water —4B **6**
Celia Clo. Water —1B **16**
Cemetery La. Ems —5G **19**
Centaur St. Ports —5H **37**
Central Rd. Fare —4H **23**
Central Rd. Ports —4E **27**
Central St. Ports —1D **46**
Cessac Ho. Gos —6E **45**

Chadderton Gdns. Ports —4B **46**
Chaffinch Grn. Water —3G **5**
Chaffinch Way. Fare —3F **23**
Chaffinch Way. Lee S —6H **33**
Chale Clo. Gos —3C **34**
Chalk La. Fare —2D **20**
Chalk Pit Rd. Ports —2F **25**
Chalk Ridge. Cath —2D **2**
Chalkridge Rd. Ports —2C **26**
Chalky Wlk. Fare —4A **24**
Chalton Cres. Hav —4D **16**
Chalton Ho. Ports —1C **46**
Chalton La. Water —1F **3**
Chamberlain Gro. Fare —3A **22**
Chandlers Clo. Hay I —5E **51**
Chandos St. Ports —2C **46**
Chantrell Wlk. Fare —6F **9**
Chantry Rd. Gos —6F **35**
Chantry Rd. Water —5B **2**
Chapel La. Water —2G **15**
Chapelside. Fare —3C **20**
Chapel Sq. Gos —6F **35**
Chapel St. Gos —5H **35**
Chapel St. Ports —5A **38**
Chapel St. S'sea —4C **46**
Chaplains Av. Water —4F **5**
Chaplains Clo. Water —4F **5**
Charden Rd. Gos —5D **34**
Charfield Clo. Fare —3F **21**
Chark La. Lee S —5H **33**
Charlcott Lawn. Hav —3D **16**
Charlement Dri. Fare —2D **22**
Charlesbury Av. Gos —3B **44**
Charles Clo. Water —3F **15**
Charles Dickens St. Ports —2C **46**
Charles St. Ports —1D **46**
Charleston Clo. Hay I —3A **50**
Charlesworth Dri. Water —6F **5**
Charlesworth Gdns. Water —6F **5**
Charlotte M. Gos —5C **44**
Charlotte St. Ports —1C **46**
Charminster Clo. Water —1G **15**
Charnwood. Gos —3D **34**
Chartwell Dri. Hav —6A **18**
Chase, The. Gos —3B **44**
Chasewater Av. Ports —6C **38**
Chatburn Av. Water —4H **5**
Chatfield Av. Ports —4E **37**
Chatfield Rd. Gos —1C **34**
Chatham Dri. Ports —4B **46**
Chatsworth Av. Ports —5B **26**
Chatsworth Clo. Fare —2E **21**
Chaucer Av. Ports —2C **26**
Chaucer Clo. Fare —1H **21**
Chaucer Clo. Water —5G **5**
Chaucer Ho. Ports —2C **46**
Chedworth Cres. Ports —2E **25**
Chelmsford Rd. Ports —3B **38**
Chelsea Rd. S'sea —4D **46**
Cheltenham Cres. Lee S —6H **33**
Cheltenham Rd. Ports —3G **25**
Chepstow Ct. Water —6B **6**
Cheriton Clo. Hav —4D **16**
Cheriton Clo. Water —6B **2**
Cheriton Rd. Gos —3B **44**
Cherque La. Lee S —5A **34**
Cherry Clo. Lee S —2E **43**
Cherrygarth Rd. Fare —2E **21**
Cherry Tree Av. Fare —3F **21**
Cherry Tree Av. Water —4B **6**
Cherrywood Gdns. Hay I —3C **50**
Chervil Clo. Water —4C **2**
Cheshire Way. Ems —1H **31**
Cheslyn Rd. Ports —1H **47**
Chester Courts. Gos —3E **45**
Chester Cres. Lee S —3F **43**

Chesterfield Rd. Ports —5C **38**
Chester Pl. S'sea —5D **46**
Chesterton Gdns. Water —4G **5**
Chestnut Av. Hav —6B **16**
Chestnut Av. S'sea —3F **47**
Chestnut Av. Water —2C **6**
Chestnut Clo. Water —3B **4**
Chestnut Wlk. Gos —4G **35**
Chetwynd Rd. S'sea —4E **47**
Chevening Ct. S'sea —2H **47**
Cheviot Wlk. Fare —4H **21**
Cheyne Way. Lee S —2D **42**
Chichester Av. Hay I —5B **50**
Chichester Clo. Gos —3B **34**
Chichester Ho. Hav —6G **17**
Chichester Rd. Hay I —4E **41**
Chichester Rd. Ports —5H **37**
Chidham Clo. Hav —1E **29**
Chidham Dri. Hav —1E **29**
Chidham Rd. Ports —2C **26**
Chidham Sq. Hav —1E **29**
Chidham Wlk. Hav —1E **29**
Chilbolton Ct. Hav —3H **17**
Chilcomb Clo. Lee S —1D **42**
Chilcombe Clo. Hav —6F **17**
Chilcote Rd. Ports —6C **38**
Childe Sq. Ports —3G **37**
Chilgrove Rd. Ports —3E **27**
Chilsdown Way. Water —5G **15**
Chiltern Wlk. Fare —4H **21**
Chilworth Gdns. Water —1C **2**
Chilworth Gro. Gos —2C **44**
Chine, The. Gos —4D **34**
Chipstead Rd. Ports —3B **26**
Chitty Rd. S'sea —5G **47**
Chivers Clo. S'sea —4C **46**
Christchurch Gdns. Water
—1D **26**
Christopher Way. Ems —1D **30**
Churcher Clo. Gos —4H **43**
Churcher Rd. Ems —5F **19**
Churcher Wlk. Gos —4H **43**
Churchill Ct. Ports —3G **27**
Churchill Ct. Water —1A **6**
Churchill Dri. Ems —5D **18**
Churchill Sq. S'sea —5H **47**
Churchill Yd. Ind. Est. Water
—6F **5**
Church La. Hav —3H **29**
Church La. Hay I —2E **41**
Church Path. Ems —3D **30**
Church Path. Fare —2C **22**
Church Path. Gos —3F **45**
Church Path. Hav —4H **29**
Church Path. Horn —1D **6**
Church Path. Titch —3C **20**
Church Path N. Ports —1D **46**
Church Pl. Fare —1C **22**
Church Rd. Fare —5C **24**
Church Rd. Gos —5C **44**
Church Rd. Hay I —3C **50**
Church Rd. Ports —1D **46**
(in two parts)
Church Rd. S'brne —3H **31**
Church Rd. W'brne —6F **19**
Church St. Ports —6H **37**
Church St. Titch —3C **20**
Church View. Ems —6F **19**
Church View. S'sea —3G **47**
Cinderford Clo. Ports —2G **25**
Circle, The. S'sea —5D **46**
Circle, The. Wick —1A **10**
Circular Rd. Ports —1B **46**
Civic Cen. Rd. Hav —1F **29**
Civic Way. Fare —2C **22**
Clacton Rd. Ports —3H **25**
Claire Gdns. Water —3C **2**

Clanwilliam Rd. Lee S —1D **42**
Claremont Gdns. Water —5G **15**
Claremont Rd. Ports —2E **47**
Clarence Esplanade. S'sea
—5B **46**
Clarence Pde. S'sea —5B **46**
Clarence Rd. Gos —2F **45**
Clarence Rd. S'sea —5D **46**
Clarence St. Ports —1C **46**
Clarendon Pl. Ports —2C **46**
Clarendon Pl. Ports —1D **46**
(Landport)
Clarendon Rd. Hav —2E **29**
Clarendon Rd. S'sea —5C **46**
Clarendon St. Ports —1D **46**
Clarke's Rd. Ports —1F **47**
Claudia Ct. Gos —1B **44**
Claybank Rd. Ports —4C **38**
Claybank Spur. Ports —4C **38**
Claydon Av. S'sea —3G **47**
Clayhall Rd. Gos —5C **44**
Clee Av. Fare —3F **21**
Cleeve Clo. Ports —2F **25**
Clegg Rd. S'sea —4G **47**
Cleveland Dri. Fare —3F **21**
Cleveland Rd. Gos —4D **44**
Cleveland Rd. S'sea —3E **47**
Cliffdale Gdns. Cosh —2C **26**
Cliff Rd. Fare —4A **32**
Clifton Cres. Water —3D **4**
Clifton Rd. Lee S —3E **43**
Clifton Rd. S'sea —5C **46**
Clifton St. Gos —1B **44**
Clifton St. Ports —1E **47**
Clifton Ter. S'sea —5C **46**
Clinton Rd. Water —4E **5**
Clive Gro. Fare —4A **24**
Clive Rd. Ports —1E **47**
Clock St. Ports —2A **46**
Clocktower Dri. S'sea —5H **47**
Cloisters, The. Fare —1E **21**
Close, The. Fare —3A **24**
Close, The. Ports —4C **26**
Close, The. Titch —4B **20**
Closewood Rd. Water —6C **4**
Clovelly Rd. Ems —3C **30**
Clovelly Rd. Hay I —1E **41**
Clovelly Rd. S'brne —2H **31**
Clovelly Rd. S'sea —3G **47**
Clover Clo. Gos —3C **34**
Clover Ct. Water —3A **16**
Cluster Ind. Est. S'sea —2G **47**
Clydebank Rd. Ports —5H **37**
Clyde Ct. Gos —1B **44**
Clyde Rd. Gos —1B **44**
Coach Hill. Fare —3B **20**
Coal Yd. Rd. S'sea —3F **47**
Coastguard Clo. Gos —5B **44**
Coastguard Cotts. Hav —5F **29**
Coates Way. Water —4G **15**
Cobblewood. Ems —6C **18**
Cobden Av. Ports —5C **38**
Cobden St. Gos —2D **44**
Coburg St. Ports —2D **46**
Cochrane Clo. Gos —2H **43**
Cockleshell Gdns. S'sea —4A **48**
Coghlan Clo. Fare —1B **22**
Colbury Gro. Hav —4C **16**
Colchester Rd. Ports —2A **26**
Cold Harbour Clo. Wick —1A **10**
Coldharbour Farm Rd. Ems
—2D **30**
Coldhill La. Water —6A **2**
Colebrook Av. Ports —5D **38**
Colemore Sq. Hav —5F **17**
Colenso Rd. Fare —2A **22**
Coleridge Gdns. Water —3H **5**

Coleridge Rd. Ports —2D **24**
Colesbourne Rd. Ports —2F **25**
Colinton Av. Fare —2B **24**
Collbrie Clo. Row C —6H **7**
College La. Ports —2A **46**
College Rd. Navy —2A **46**
College Rd. Pur —1G **27**
College St. Ports —2A **46**
Collington Cres. Ports —2F **25**
Collingwood Ho. Fare —1F **21**
Collingwood Retail Pk. Fare
—5A **22**
Collingwood Rd. S'sea —5D **46**
Collins Rd. S'sea —5G **47**
Collis Rd. Ports —5C **38**
Colpoy St. S'sea —3B **46**
Coltsfoot Dri. Water —4H **15**
Coltsmead. Ports —3D **24**
Colville Rd. Ports —3C **26**
Colwell Rd. Ports —4B **26**
Comfrey Clo. Water —4C **2**
Comley Hill. Hav —2A **18**
Commercial Pl. Ports —1C **46**
Commercial Rd. Ports —2C **46**
(in two parts)
Common Barn La. Lee S —6H **33**
(in two parts)
Common La. S'wick —3C **12**
Common La. Titch —3A **20**
Commonside. Ems —4F **19**
Common St. Ports —1D **46**
Compass Point. Fare —3B **22**
Compton Clo. Hav —6F **17**
Compton Clo. Lee S —1D **42**
Compton Rd. Ports —2A **38**
Conan Rd. Ports —1A **38**
Condor Av. Fare —3F **23**
Conford Ct. Hav —3D **16**
Conifer Clo. Water —5A **6**
Conifer Gro. Gos —1C **34**
Conifer M. Fare —2B **24**
Conigar Rd. Ems —6D **18**
Coniston Av. Ports —5C **38**
Coniston Wlk. Fare —4G **21**
Connaught. Ports —3H **37**
Connaught La. Ports —2D **24**
Connaught Rd. Hav —2G **29**
Connaught Rd. Gos —6C **34**
Connors Keep. Water —3F **5**
Conqueror Way. Fare —4F **33**
Consort Ct. Fare —2C **22**
Constable Clo. Gos —6E **45**
Convent La. Ems —3D **30**
Cooks La. Ems —2H **31**
Cooley Ho. Gos —1B **34**
Coombe Farm Av. Fare —3A **22**
Coombe Rd. Gos —6H **35**
Coombs Clo. Water —4C **2**
Cooper Gro. Fare —5B **24**
Cooper Rd. Ports —5D **38**
Copnor Rd. Ports —6B **26**
Copper Beech Dri. Ports —3G **27**
Copperfield Ho. Ports —6H **37**
Copper St. S'sea —4B **46**
Coppice, The. Gos —3D **34**
Coppice, The. Water —1A **6**
Coppice Way. Fare —6F **9**
Coppins Gro. Fare —5A **24**
Copse Clo. Water —1F **27**
Copse La. Gos —4D **34**
Copse La. Hay I —5C **40**
Copse, The. Fare —5F **9**
Copsey Clo. Ports —3F **27**
Copsey Gro. Ports —4F **27**
Copsey Path. Ports —3F **27**
Copythorn Rd. Ports —4B **38**
Coral Clo. Fare —5A **24**

Coralin Gro. Water —6B **6**
Corbett Rd. Water —3F **15**
Corby Cres. Ports —1D **38**
Corfe Clo. Fare —3C **32**
Corhampton Cres. Hav —5D **16**
Cormorant Clo. Fare —3F **23**
Cormorant Wlk. Gos —3B **34**
Cornaway La. Fare —4H **23**
Cornbrook Gro. Water —6C **6**
Cornelius Dri. Water —6B **6**
Corner Mead. Water —3B **4**
Cornfield. Fare —5B **10**
Cornfield Rd. Lee S —1D **42**
Cornmill St. Ports —1C **46**
Cornwallis Cres. Ports —1D **46**
Cornwall Rd. Ports —2E **47**
Cornwell Clo. Gos —6D **34**
Coronado Rd. Gos —6H **35**
Coronation Eventide Homes. Ports
—1A **38**
Coronation Rd. Hay I —6G **51**
Cort Way. Fare —5E **9**
Cosham Pk. Av. Ports —4B **26**
Cotswold Clo. Hav —3E **17**
Cotswold Wlk. Fare —4H **21**
Cotton Dri. Ems —5C **18**
Cotwell Av. Water —3B **6**
Coulmere Rd. Gos —1C **44**
Country View. Fare —1D **32**
County Gdns. Fare —3E **21**
Court 1. Gos —1H **43**
Court 9. Gos —2H **43**
Court 22. Gos —2G **43**
Court 23. Gos —1G **43**
Court 26. Gos —1G **43**
Court 30. Gos —1G **43**
Court 31. Gos —1G **43**
Court 32. Gos —1G **43**
Court 33. Gos —1G **43**
Court 34. Gos —1G **43**
Court Barn Clo. Lee S —6H **33**
Court Barn La. Lee S —6H **33**
Court Clo. Ports —4D **26**
Courtlands Ter. Water —3A **6**
Court La. Ports —4D **26**
Court Mead. Ports —3D **26**
Courtmount Gro. Ports —3C **26**
Courtmount Path. Ports —2C **26**
Court Rd. Lee S —6G **33**
Cousins Gro. S'sea —5G **47**
Coventry Ct. Gos —1H 43
(off Lindbergh Clo.)
Coverack Way. Cosh —4F **25**
Covert Gro. Water —4A **16**
Covington Rd. Ems —4F **19**
Cowan Rd. Water —4F **15**
Coward Rd. Gos —5B **44**
Cowdray Pk. Fare —3C **32**
Cowes Ct. Fare —3E **21**
Cow La. Portc —4B **24**
Cow La. Ports —4H **25**
Cowper Rd. Ports —6A **38**
Cowslip Clo. Gos —3C **34**
Crabden La. Horn —5E **3**
Crabthorne Farm La. Fare —2D **32**
Crabwood Ct. Hav —2D **16**
Craigwell Rd. Water —5G **15**
Cranborne Rd. Ports —2C **26**
Cranborne Wlk. Fare —4G **21**
Cranbourne Rd. Gos —4E **45**
Craneswater Av. S'sea —6E **47**

Craneswater Gdns. S'sea —5F **47**
Craneswater Ga. S'sea —6E **47**
Craneswater Pk. S'sea —5E **47**
Cranleigh Av. Ports —1E **47**
Cranleigh Rd. Fare —4G **23**
Cranleigh Rd. Ports —1E **47**
Crasswell St. Ports —1C **46**
(in two parts)
Craven Ct. Fare —6G **9**
Crawford Dri. Fare —6H **9**
Crawley Av. Hav —3G **17**
Credenhill Rd. Ports —2G **25**
Creek End. Ems —4D **30**
Creek Rd. Gos —3F **45**
Creek Rd. Hay I —5F **51**
Creek View Caravan Est. Hay I
—5G **51**
Cremyll Clo. Fare —3E **33**
Crescent Gdns. Fare —2B **22**
Crescent Rd. Fare —2A **22**
Crescent Rd. Gos —6C **44**
Crescent, The. Ems —3H **31**
Crescent, The. Water —5E **15**
Cressy Rd. Ports —6H **37**
Crest Clo. Fare —2D **22**
Crestland Clo. Water —4A **6**
Crest, The. Water —1E **27**
Cricket Dri. Water —1A **6**
Crisspyn Clo. Water —1B **6**
Croad Ct. Fare —2C **22**
Croftlands Av. Fare —2E **33**
Croft La. Hay I —4C **40**
Crofton Av. Lee S —5E **33**
Crofton Clo. Water —4E **15**
Crofton Ct. Fare —3E **33**
Crofton La. Fare —4D **32**
Crofton Rd. Ports —3A **38**
Crofton Rd. S'sea —2H **47**
Croft Rd. Ports —4H **37**
Croft, The. Fare —1E **33**
Cromarty Av. S'sea —3H **47**
Cromarty Clo. Fare —2D **32**
Crombie Clo. Water —3H **5**
(in two parts)
Cromer Rd. Ports —2A **26**
Cromhall Clo. Fare —3E **21**
Cromwell Rd. S'sea —5H **47**
Crondall Av. Hav —3E **17**
Crooked Wlk. La. S'wick —6C **12**
Crookham Clo. Hav —4C **16**
Crookhorn La. Water —2G **27**
Crossfield Wlk. Fare —4G **21**
Crossgill. Water —6A **2**
Crossland Clo. Gos —4E **45**
Crossland Dri. Hav —6F **17**
Cross La. Water —2A **6**
Cross Rd. Lee S —3E **43**
Cross St. Ports —2A **46**
Cross St. S'sea —3D **46**
Cross Way. Hav —1E **29**
Crossways, The. Gos —1D **44**
Crossway, The. Fare —3H **23**
Crouch La. Water —6A **2**
(in two parts)
Crown Clo. Water —6G **15**
Crown Ct. Ports —1D **46**
Crown St. Ports —1D **46**
Crowsbury Clo. Ems —6C **18**
Crystal Way. Water —1A **16**
Cuckoo La. Fare —2D **32**
Culloden Clo. Fare —1G **21**
Culloden Rd. Fare —5H **21**
Culver Dri. Hay I —6E **51**
Culverin Sq. Ind. Est. Ports
—1C **38**
Culver Rd. S'sea —5G **47**
Cumberland Av. Ems —5C **18**

Cumberland Bus. Cen. S'sea —2D 46
Cumberland Rd. S'sea —2E 47
Cumberland St. Ports —1A 46
Cunningham Dri. Gos —2D 34
Cunningham Rd. Horn —6C 2
Cunningham Rd. Water —4F 15
Curdridge Clo. Hav —4G 17
Curie Rd. Ports —2B 26
Curlew Clo. Ems —3C 30
Curlew Dri. Fare —3F 23
Curlew Gdns. Water —3H 5
Curlew Path. S'sea —2H 47
Curlew Wlk. Gos —2A 34
Curtis Mead. Ports —1B 38
Curtiss Gdns. Gos —3B 44
Curve, The. Gos —2B 34
Curve, The. Water —1H 5
Curzon Howe Rd. Ports —2A 46
Curzon Rd. Water —2G 15
(in two parts)
Cuthbert Rd. Ports —1F 47
Cutlers La. Fare —2E 33
Cygnet Ct. Fare —3F 23
Cygnet Rd. Ports —4H 27
Cypress Cres. Water —2A 6
Cyprus Rd. Ports —5A 38

Dairymoor. Wick —1B 10
Daisy La. Gos —3C 44
Daisy Mead. Water —2A 16
Dale Dri. Gos —6B 22
Dale Rd. Fare —7F 33
Dale, The. Water —1E 27
Dalewood Rd. Fare —2F 21
Dallington Clo. Fare —4E 33
Damask Gdns. Water —6B 6
Dampier Clo. Gos —6C 34
Danbury Ct. Ems —1E 31
Dances Way. Hay I —3A 50
Dandelion Clo. Gos —2B 34
Dando Rd. Water —3C 4
Danebury Clo. Hav —3E 17
Danesbrook La. Water —2A 16
Danes Rd. Fare —2H 23
Darlington Rd. S'sea —4E 47
Darren Clo. Fare —1F 33
Darren Ct. Fare —1B 22
Dartmouth M. S'sea —4B 46
Dartmouth Rd. Ports —3C 38
Darwin Wlk. Gos —1H 43
Daubney Gdns. Hav —3D 16
Daulston Rd. Ports —6B 38
Davenport Clo. Gos —1G 43
Daventry La. Ports —1E 39
Davidia Cl. Water —3A 16
Davis Clo. Gos —5C 34
Daw La. Hay I —5B 40
Day La. Water —1F 5
Dayshes Clo. Gos —2B 34
Dayslondon Rd. Water —4F 15
Deal Clo. Fare —1E 33
Deal Rd. Ports —2A 26
Deane Ct. Hav —4H 17
Deane Gdns. Lee S —1D 42
Deane's Pk. Rd. Fare —2D 22
Dean Rd. Ports —3C 26
Deans Ga. Fare —4E 33
Dean St. Ports —2A 46
Deanswood Dri. Water —6G 5
Deep Dell. Water —2B 6
Deeping Ga. Water —2A 16
Deerhurst Cres. Ports —2E 25
Defiance Rd. Ports —3A 46
Delamere Rd. S'sea —4E 47
Delft Gdns. Water —5G 5

De Lisle Clo. Ports —1B 38
Delius Wlk. Water —4G 15
Dell Clo. Water —1D 26
Dellcrest Path. Ports —2D 26
Dellfield Clo. Ports —2E 25
Dell Piece E. Horn —2D 6
Dell Piece W. Horn —1B 6
Dell Quay Clo. Gos —3B 34
Dell, The. Fare —2D 22
Dell, The. Hav —1B 28
Delme Ct. Fare —2A 22
Delme Dri. Fare —1D 22
Delme Sq. Fare —2B 22
Delphi Way. Water —1H 27
Delta Bus. Pk. Fare —4B 22
Denbigh Dri. Fare —1H 21
Dene Hollow. Ports —3F 27
Denham Clo. Fare —2D 22
Denhill Clo. Hay I —2A 50
Denmead La. Den —2D 4
Denning M. S'sea —2C 46
Denville Av. Fare —5B 24
Denville Clo. Ports —3H 27
Denville Clo. Path. Ports —3H 27
Denvilles Clo. Hav —1H 29
Derby Ct. Gos —1G 43
Derby Rd. Ports —4H 37
Derlyn Rd. Fare —2A 22
Dersingham Clo. Ports —2A 26
Derwent Clo. Fare —1F 33
Derwent Clo. Water —3C 2
Derwent Clo. Lee S —2D 42
Desborough Clo. Ports —2E 25
Deverell Pl. Water —6E 15
Devon Rd. Ports —2C 38
Devonshire Av. S'sea —3F 47
Devonshire Sq. S'sea —3F 47
Devonshire Way. Fare —3E 21
Diamond St. S'sea —4B 46
Diana Clo. Gos —3A 44
Dibden Clo. Hav —5C 16
Dickens Clo. Ports —6H 37
Dickson Pk. Wick —1B 10
Dieppe Cres. Ports —1A 38
Dieppe Gdns. Gos —3B 44
Dight Rd. Gos —5E 45
Discovery Clo. Fare —6E 21
Ditcham Cres. Hav —5E 17
Ditton Clo. Fare —2E 33
Dockenfield Clo. Hav —5C 16
Dock Rd. Gos —3E 45
Dogwood Dell. Water —4H 15
Dolman Rd. Gos —4E 45
Dolphin Ct. Fare —1D 32
Dolphin Ct. Lee S —1C 42
Dolphin Ct. S'sea —6F 47
Dolphin Cres. Gos —4E 45
Dolphin Way. Gos —6F 45
Dolphin Way. Ports —3A 46
Dominie Wlk. Lee S —1D 42
Domum Rd. Ports —3B 38
Domvilles App. Ports —4F 37
Donaldson Rd. Ports —5B 26
Donnelly St. Gos —1C 44
Dorcas Clo. Water —6A 6
Dore Av. Fare —3H 23
Dorking Cres. Ports —4B 26
Dormington Rd. Ports —2G 25
Dormy Way. Gos —4B 34
Dornmere La. Water —2A 16
Dorothy Dymond St. Ports —2C 46
Dorrien Rd. Gos —6H 35
Dorrita Av. Water —3A 6
Dorrita Clo. S'sea —5F 47
Dorset Clo. Water —1B 6
Dorstone Rd. Ports —2G 25

Douglas Gdns. Hav —5G 17
Douglas Keep. Water —3G 5
Douglas Rd. Ports —6B 38
Dove Clo. Water —3H 5
Dover Clo. Fare —2D 32
Dover Ct. Hay I —2A 50
Dovercourt Rd. Ports —5C 26
Dover Rd. Ports —5C 38
Dowley Ct. Titch —3B 20
Down End. Ports —2E 27
Downend Rd. Fare —2F 23
Down End Rd. Ports —2E 27
Down Farm Pl. Water —4C 2
Downham Clo. Water —4H 5
Downhouse Rd. Water —1A 2
Downley Rd. Hav —5H 17
Down Rd. Horn —4C 2
(in three parts)
Downs Clo. Water —6H 15
(off Apollo Dri.)
Downside. Gos —3D 34
Downside Rd. Water —6E 15
Downsway, The. Fare —3A 24
(in two parts)
Downwood Way. Horn —4C 2
Doyle Av. Ports —1A 38
Doyle Clo. Ports —1A 38
Doyle Ct. Ports —2A 38
Doyle Ho. Hav —6B 16
Dragon Est. Ports —4G 27
Drake Rd. Lee S —6F 33
Draycote Rd. Water —2C 2
Drayton La. Ports —2E 27
Drayton Rd. Ports —4A 38
Dreadnought Rd. Fare —6H 21
Dresden Dri. Water —5G 5
Drift Rd. Fare —1C 22
Drift Rd. Water —2F 3
Drift, The. Row C —6H 7
Driftwood Gdns. S'sea —5A 48
Drill Shed Rd. Ports —4F 37
Drive, The. Ems —3H 31
Drive, The. Fare —2A 22
Drive, The. Gos —3A 34
Drive, The. Hav —6F 17
Droke, The. Ports —4B 26
(in two parts)
Drove, The. S'wick —5E 13
Drove, The. S'wick —3D 12
Droxford Clo. Gos —3B 44
Drummond Rd. Ports —1D 46
Dryden Av. Ports —2C 24
Dryden Clo. Fare —1H 21
Dryden Clo. Water —5G 5
Drysdale M. S'sea —5H 47
Dudleston Heath Dri. Water —5B 6
Dudley Rd. Ports —6C 38
Duffield La. Ems —6H 19
Dugald Drummond St. Ports —2C 46
Duisburg Way. S'sea —4B 46
Duke Cres. Ports —6H 37
Dukes Rd. Gos —1C 44
Dumbarton Clo. Ports —5H 37
Dummer Ct. Hav —3D 16
Dunbar Rd. S'sea —3H 47
Duncan Cooper Ho. Water —2F 15
Duncan Rd. S'sea —5D 46
Duncans Dri. Fare —3D 20
Duncton Rd. Water —2H 3
Duncton Way. Gos —2C 34
Dundas Clo. Ports —3D 38
Dundas La. Ports —4D 38
Dundas Spur. Ports —3D 38
Dundee Clo. Fare —6G 9

Dundonald Clo. Hay I —2C 50
Dunhurst Clo. Hav —6G 17
Dunkeld Rd. Gos —6F 35
Dunlin Clo. S'sea —2B 48
Dunn Clo. S'sea —4H 47
Dunnock Clo. Row C —6H 7
Dunsbury Way. Hav —3E 17
Dunsmore Clo. S'sea —3C 46
Dunstable Wlk. Fare —3F 21
Durban Homes. Ports —1D 46
Durban Rd. Ports —6B 38
Durford Ct. Hav —3D 16
Durham Gdns. Water —4H 15
Durham St. Gos —1C 44
Durham St. Ports —2C 46
Durland Rd. Water —5C 2
Durley Av. Water —4G 5
Durley Rd. Gos —1B 44
Durrants Gdns. Row C —1H 17
Durrants Rd. Row C —2H 17
Dursley Cres. Ports —3G 25
Dymchurch Ho. Ports —3A 26
Dymoke St. Ems —5C 18
Dysart Av. Ports —4D 26

Eagle Av. Water —3F 5
Eagle Clo. Fare —3F 23
Eagle Rd. Lee S —6F 33
Earlsdon St. S'sea —3C 46
Earls Rd. Fare —4B 22
Earnley Rd. Hay I —5H 51
Eastbourne Av. Gos —5F 35
Eastbourne Rd. Ports —5C 38
Eastbrook Clo. Gos —5F 35
E. Cams Clo. Fare —2F 23
Eastcliff Clo. Lee S —6H 33
E. Copsey Path. Ports —3F 27
E. Cosham Rd. Ports —2C 26
East Ct. Cosh —3D 26
Eastcroft Rd. Gos —2B 44
Eastern Av. S'sea —1H 47
Eastern Ind. Est. Ports —5E 27
Eastern Pde. Fare —4B 22
Eastern Pde. S'sea —6F 47
Eastern Rd. Hav —1F 29
Eastern Rd. Ports —1H 47
Eastern Vs. Rd. S'sea —6D 46
Eastern Way. Fare —2C 22
Eastfield Av. Fare —4H 21
Eastfield Clo. Ems —2H 31
Eastfield Rd. S'sea —4G 47
East Ga. Ports —6G 37
Eastgrove Cen. Cosh —4F 27
E. Hill Clo. Fare —1D 22
East Ho. Av. Fare —3F 33
Eastlake Heights. S'sea —4B 48
Eastland Ga. Cotts. Love —1F 5
Eastleigh Rd. Hav —6A 18
East Lodge. Fare —2E 21
East Lodge. Lee S —2C 42
E. Pallant. Hav —2F 29
East Rd. S'wick —3E 13
East St. Ems —6F 19
East St. Fare —2C 22
East St. Hav —2F 29
East St. Portc —3B 24
East St. Ports —4H 45
East St. Titch —3C 20
E. Surrey St. Ports —2C 46

Eastwood Clo. Hay I —3D **50**
Eastwood Rd. Ports —1A **38**
Ebery Gro. Ports —1H **47**
Ecton La. Ports —2E **39**
Edenbridge Rd. S'sea —2A **48**
Eden Path. Ports —2E **27**
Eden Rise. Fare —3B **22**
Eden St. Ports —1C **46**
Edgar Cres. Fare —5B **24**
Edgbaston Ho. S'sea —3C **46**
Edgecombe Cres. Gos —5C **34**
Edgefield Gro. Water —6C **6**
Edgerly Gdns. Ports —5B **26**
Edgeware Rd. S'sea —2G **47**
Edinburgh Rd. Ports —2B **46**
Edmund Rd. S'sea —4E **47**
Edneys La. Water —3D **4**
Education Path. Ports —4A **26**
Edward Gdns. Hav —2C **28**
Edward Gro. Fare —2C **24**
Edwards Clo. Water —5H **5**
Egan Clo. Ports —2B **38**
Eglantine Clo. Water —3B **6**
Eglantine Wlk. Water —3B **6**
Elaine Gdns. Water —2H **5**
Elderberry Clo. Clan —1D **2**
Elderberry Way. Water —2H **5**
Elderfield Clo. Ems —6E **19**
Elderfield Rd. Hav —2D **16**
Elder Rd. Hav —6H **17**
Eldon St. S'sea —3C **46**
Elettra Av. Water —6F **5**
Elgar Clo. Gos —5C **44**
Elgar Wlk. Water —4G **15**
Elgin Clo. Fare —1H **21**
Elgin Rd. Ports —5B **26**
Eling Ct. Hav —3D **16**
Elizabeth Ct. Fare —4H **21**
Elizabeth Ct. Gos —1C **44**
Elizabeth Gdns. S'sea —5F **47**
Elizabeth Rd. Stub —3F **33**
Elizabeth Rd. Water —4G **15**
Elizabeth Rd. Wick —1B **10**
Eliza Pl. Gos —2E **45**
Elkstone Rd. Ports —2F **25**
Ellachie Gdns. Gos —6D **44**
Ellachie M. Gos —6D **44**
Ellachie Rd. Gos —6D **44**
Ellerslie Clo. Fare —4C **32**
Ellesmere Orchard. Ems —5F **19**
Elliots Caravan Est. Hay I
—5G **51**
Ellisfield Rd. Hav —5E **17**
Elm Clo. Est. Hay I —4B **50**
Elm Gro. Gos —2D **44**
Elm Gro. Hay I —4C **50**
Elm Gro. S'sea —4C **46**
Elmhurst Rd. Fare —3B **22**
Elmhurst Rd. Gos —3E **45**
Elm La. Hav —2F **29**
Elmleigh Rd. Hav —1F **29**
Elmore Av. Lee S —2D **42**
Elmore Clo. Lee S —2D **42**
Elmore Rd. Lee S —3D **42**
Elm Pk. Rd. Hav —1F **29**
Elms Rd. Fare —4B **22**
Elm St. S'sea —4C **46**
Elmswelle Rd. Water —1A **6**
Elmtree Rd. Ports —3G **27**
Elmwood Av. Water —3G **15**
Elmwood Lodge. Fare —1B **22**
Elmwood Rd. Ports —1A **38**
Elphinstone Rd. S'sea —5C **46**
Elsfred Rd. Fare —4C **32**
Elsie Fudge Ho. Water —6H **15**
Elson La. Gos —5G **35**

Elson Rd. Gos —5F **35**
Elstead Gdns. Water —5E **15**
Elwell Grn. Hay I —4B **50**
Ely Ct. Gos —2H **43**
Emanuel St. Ports —6H **37**
Emerald Clo. Water —2A **16**
Empshott Rd. S'sea —3F **47**
Empson Wlk. Lee S —6H **33**
Emsbrook Dri. Ems —1D **30**
Emsworth By-Pass. Ems —2A **30**
Emsworth Comn. Rd. Hav & Ems
—4B **18**
Emsworth Ho. Ems —2B **30**
Emsworth Ho. Clo. Ems —2C **30**
Emsworth Rd. Hav —2G **29**
Emsworth Rd. Ports —4A **38**
Endeavour Clo. Gos —3F **45**
Endofield Clo. Fare —5H **21**
Ennerdale Clo. Water —3C **2**
Ennerdale Rd. Fare —1F **33**
Enterprise Ind. Est. Water —5C **2**
Enterprise Rd. Water —5C **2**
Epperston Rd. Water —1A **6**
Epworth Rd. Ports —4B **38**
Erica Clo. Water —4B **6**
Erica Way. Water —3B **6**
Eric Rd. Fare —3E **33**
Ernest Clo. Ems —2D **30**
Ernest Rd. Hav —6C **16**
Ernest Rd. Ports —6A **38**
Escur Clo. Ports —1B **38**
Esher Gro. Water —5E **5**
Eskdale Clo. Water —3C **2**
Esmond Clo. Ems —3D **30**
Esmonde Clo. Lee S —1D **42**
Esplanade. Lee S —2C **42**
Esplanade Gdns. S'sea —5A **48**
Esplanade, The. Gos —3G **45**
Essex Rd. S'sea —3G **47**
Esslemont Rd. S'sea —4F **47**
Estella Rd. Ports —5H **37**
Ethel Rd. Ports —1E **47**
Eton Rd. S'sea —3E **47**
Euryalus Rd. Fare —5H **21**
Euston Rd. S'sea —2H **47**
Evans Rd. S'sea —3G **47**
Evelegh Rd. Ports —3F **27**
Everdon La. Ports —1E **39**
Everglades Av. Water —4H **5**
Evergreen Clo. Water —2F **15**
Eversley Cres. Hav —5E **17**
Ewart Rd. Ports —6A **38**
Ewhurst Clo. Hav —5D **16**
Exbury Rd. Hav —4G **17**
Excellant Rd. Fare —6H **21**
Exchange Rd. Ports —2B **46**
Exeter Clo. Ems —6D **18**
Exeter Ct. Gos —1G **43**
Exeter Rd. S'sea —5F **47**
Exmouth Rd. Gos —5G **35**
Exmouth Rd. S'sea —5D **46**
Exton Gdns. Fare —1A **24**
Exton Rd. Hav —4H **17**

Faber Clo. Hav —5G **17**
Fabian Clo. Water —1A **16**
Fairacre Rise. Fare —3D **20**
Fairacre Wlk. Fare —4D **20**
Fairbourne Clo. Water —5G **5**
Fairfield Av. Fare —4G **21**
Fairfield Clo. Ems —1D **30**
Fairfield Rd. Hav —2F **29**
Fairfield Sq. Ports —3A **38**
Fairhome Clo. Gos —6H **35**
Fair Isle Clo. Fare —2D **32**
Fairlead Dri. Gos —1H **43**

Fairlea Rd. Ems —6D **18**
Fair Meadow Way. Ems —3B **30**
Fairmead Wlk. Water —4A **6**
Fair Oak Ct. Gos —4H **43**
Fair Oak Dri. Hav —6F **17**
Fairthorne Gdns. Gos —3C **44**
Fairview Ct. Gos —3A **44**
Fairwater Clo. Gos —4B **34**
Fairway Bus. Cen. Ports —3D **38**
Fairway, The. Fare —3A **24**
Fairway, The. Gos —4C **34**
Fairway, The. Row C —5H **7**
Fairy Cross Way. Water —4B **6**
Falcon Clo. Fare —3F **23**
Falcon Grn. Ports —4H **27**
Falcon Rd. Water —6A **2**
Falmouth Rd. Ports —2D **24**
Fareham Enterprise Cen. Fare
—5B **22**
Fareham Heights. Fare —6D **10**
Fareham Ind. Pk. Fare —6C **10**
Fareham Pk. Rd. Fare —5E **9**
Fareham Rd. Gos —6B **22**
Fareham Rd. Wick —2B **10**
Fareham Shopping Cen. Fare
—2B **22**
Farleigh Clo. Hav —4D **16**
Farlington Av. Cosh —2E **27**
Farlington Rd. Ports —4B **38**
Farm Edge Rd. Fare —4E **33**
Farmhouse Way. Water —2A **6**
Farmlea Rd. Ports —3E **25**
Farm Rd. Fare —1A **20**
Farmside Gdns. Ports —1B **38**
Farm View. Ems —6D **18**
Farm View Av. Water —2F **3**
Faroes Clo. Fare —2D **32**
Farriers Wlk. Gos —2F **45**
Farriers Way. Water —6C **6**
Farrier Way. Fare —5B **22**
Farringdon Rd. Hav —5G **17**
Farthing La. Ports —4A **46**
Farthings Ga. Water —6G **15**
Fastnet Way. Fare —2D **32**
Fathoms Reach. Hay I —3B **50**
Fawcett Rd. S'sea —3E **47**
Fawley Ct. Hav —4H **17**
Fawley Rd. Ports —6A **26**
Fay Clo. Fare —3E **33**
Fayre Rd. Fare —4A **22**
Fearon Rd. Ports —3A **38**
Felix Rd. Gos —6H **35**
Fell Dri. Lee S —6H **33**
Feltons Pl. Ports —6B **26**
Fennell Clo. Water —6F **5**
Ferncroft Clo. Fare —4E **33**
Ferndale. Water —2H **15**
Ferndale M. Gos —1B **34**
Ferneham Rd. Fare —1E **21**
Fernhurst Clo. Hay I —4H **49**
Fernhurst Rd. S'sea —3F **47**
Fernie Clo. Fare —3D **32**
Fern Way. Fare —6A **8**
Fernwood Ho. Cowp —5A **6**
Ferrol Rd. Gos —1E **45**
Ferry Gdns. Gos —3G **45**
Ferry Rd. Hay I —3D **48**
Ferry Rd. S'sea —4B **48**
(in two parts)
Festing Gro. S'sea —5F **47**
Festing Rd. S'sea —5F **47**
Field Clo. Gos —6B **22**
Fielders Ct. Water —5E **15**
Fieldfare Clo. Water —1C **2**
Fieldmore Rd. Gos —6H **35**
Field Way. Water —3B **4**
Fifth Av. Hav —1H **29**

Fifth Av. Ports —3A **26**
Fifth St. Ports —6B **38**
Filmer Clo. Gos —5D **34**
Finchdean Rd. Hav —5D **16**
Finch Rd. S'sea —4B **48**
Findon Rd. Gos —5H **35**
Finisterre Clo. Fare —1D **32**
Fir Copse Rd. Water —6F **15**
Firgrove Cres. Ports —6B **26**
Firlands Rise. Hav —2A **28**
Firs Av. Water —5H **5**
First Av. Cath —2C **2**
First Av. Cosh —3B **26**
First Av. Ems —3H **31**
First Av. Hav —1H **29**
First Av. Ports —3F **27**
(Farlington)
Firs, The. Gos —4D **34**
Fir Tree Gdns. Water —2C **6**
Fir Tree Rd. Hay I —4C **50**
Fisgard Rd. Gos —6H **35**
Fisher Clo. Fare —2D **32**
Fishermans, The. Ems —3E **31**
Fisherman's Wlk. Fare —4B **24**
Fisherman's Wlk. Hay I —5G **51**
Fisher Rd. Gos —2C **34**
Fisher Rd. Ports —3A **46**
Fishers Gro. Ports —4G **27**
Fishers Hill. Fare —1C **20**
Fishery Creek Caravan Pk. Hay I
—5F **51**
Fishery La. Hay I —5E **51**
Fitzherbert Rd. Ports —4F **27**
Fitzherbert Spur. Ports —4G **27**
Fitzherbert St. Ports —6G **37**
Fitzpatrick Ct. Ports —2H **25**
Fitzroy St. Ports —1E **47**
Fitzroy Wlk. Ports —1D **46**
Fitzwilliam Av. Fare —3C **32**
Fitzwygram Cres. Hav —6F **17**
Five Heads Rd. Water —5A **2**
Five Post La. Gos —1D **44**
Flag Staff Grn. Gos —1F **45**
Flag Wlk. Water —2H **5**
Flamingo Ct. Fare —3F **23**
Flanders Ho. Fare —3G **21**
Flathouse Quay. Ports —6G **37**
Flathouse Rd. Ports —1B **46**
Fleet Clo. Gos —4D **34**
Fleetend Clo. Hav —3E **17**
Fleming Clo. Seg E —5A **8**
Flexford Gdns. Hav —6G **17**
Flinders Ct. S'sea —5H **47**
Flint Ho. Path. Ports —5E **27**
Flint St. S'sea —4B **46**
Florence Rd. S'sea —6D **46**
Florentine Way. Water —1B **16**
Florins, The. Water —6G **15**
Flying Bull Clo. Ports —5H 37
(off Flying Bull La.)
Flying Bull La. Ports —5H **37**
Folkestone Rd. Ports —6C **38**
Fontwell M. Water —6B **6**
Fontwell Rd. S'sea —5D **46**
Forbury Rd. S'sea —3D **46**
Fordingbridge Rd. S'sea —4H **47**
Ford Rd. Gos —1B **44**
Foreland Ct. Hay I —5E **51**
Foremans Cotts. Gos —5F **45**
Forest Av. Water —4H **5**
Forest Clo. Water —4H **5**
Forest End. Water —2F **15**
Forest La. Fare —1C **10**
Forest Mead. Water —4B **4**
Forest Rd. Den —3A **4**
Forestside Av. Hav —4G **17**
Forest Way. Gos —3D **34**

Forneth Gdns. Fare —3D **20**
Fort Cumberland Rd. S'sea
—4B **48**
Fort Fareham Ind. Site. Fare
—5A **22**
Fort Fareham Rd. Fare —5H **21**
Forth Clo. Fare —2D **32**
Forties Clo. Fare —1D **32**
Forton Rd. Gos —1C **44**
Forton Rd. Ports —1E **47**
Fort Rd. Gos —6C **44**
Fortunes Way. Hav —2H **27**
Fort Wallington Ind. Est. Fare
—1D **22**
Forum, The. Hav —1E **29**
Foster Clo. Fare —1E **33**
Foster Rd. Gos —4C **44**
Foster Rd. Ports —1D **46**
Founders Way. Gos —3D **34**
Fountain Pl. Ports —3B **26**
Fountain St. Ports —2C **46**
Four Marks Grn. Hav —3H **17**
Fourth Av. Hav —1H **29**
Fourth Av. Ports —3A **26**
Fourth St. Ports —1F **47**
Foxbury. Gos —1D **34**
Foxbury Gro. Fare —4H **23**
Foxbury La. Ems —5F **19**
Foxbury La. Gos —1D **34**
Foxcott Gro. Hav —4E **17**
Foxes Clo. Water —3G **15**
Foxgloves. Fare —6C **10**
Foxlea Gdns. Gos —6H **35**
Foxley Dri. Ports —1D **38**
Frances Rd. Pur —6F **15**
Francis Av. S'sea —4F **47**
Francis Clo. Lee S —2E **43**
Francis Pl. Fare —3F **33**
Francis Rd. Horn —2C **2**
Frankland Ter. Ems —3E **31**
Franklin Rd. Gos —6C **34**
Frarydene. Prin —3H **57**
Fraser Gdns. Ems —1H **31**
Fraser Rd. Gos —1C **34**
Fraser Rd. Hav —1D **28**
Fraser Rd. S'sea —3D **46**
Frater La. Gos —5G **35**
Fratton Ind. Est. S'sea —2F **47**
Fratton Rd. Ports —2E **47**
Frederick St. Ports —1C **46**
Freefolk Grn. Hav —3H **17**
Freemantle Rd. Gos —6H **35**
Freestone Rd. S'sea —5D **46**
Frenchies View. Water —3A **4**
French St. Ports —4A **46**
Frendstaple Rd. Water —2A **16**
Frensham Ct. S'sea —3F **47**
Frensham Rd. S'sea —3F **47**
Freshfield Gdns. Water —1G **15**
Freshwater Ct. Lee S —1C **42**
Freshwater Ho. Fare —3E **21**
Freshwater Rd. Ports —4A **26**
Friars Pond Rd. Fare —2E **21**
Friary Clo. S'sea —5D **46**
Friary Pas. S'sea —5C **46**
Frobisher Clo. Gos —1G **43**
Frobisher Gro. Fare —4A **24**
Froddington Rd. S'sea —3D **46**
Frogham Grn. Hav —3C **16**
Frogmore. Fare —3E **21**
Frogmore La. Water —2H **5**
Frogmore Rd. S'sea —3G **47**
Frosthole Clo. Fare —6G **9**
Frosthole Cres. Fare —6G **9**
Froude Av. Gos —5E **45**
Froude Rd. Gos —5E **45**
Froxfield Gdns. Fare —2A **24**

Froxfield Rd. Hav —4H **17**
Froyle Ct. Hav —4H **17**
Fry Rd. Gos —2E **45**
Fulflood Rd. Hav —4E **17**
Fullerton Clo. Hav —4H **17**
Fulmar Wlk. Gos —2A **34**
Fulmer Wlk. Water —3G **5**
Funtington Rd. Ports —5B **38**
Funtley Hill. Fare —5G **9**
Funtley La. Fare —4G **9**
Funtley La. L Hth —6C **8**
Funtley Rd. Fare —5C **8**
(in two parts)
Furdies. Water —3A **4**
Furneaux Gdns. Fare —6B **10**
Furness Rd. S'sea —6D **46**
Furness Way. Hay I —3H **49**
Furnston Gro. Ems —2H **31**
Fury Way. Fare —2D **32**
Furzedown Cres. Hav —4G **17**
Furze Hall. Fare —5B **10**
Furzehall Av. Fare —6B **10**
Furze La. S'sea —3B **48**
Furzeley Rd. Water —5B **4**
Furze Way. Water —3B **6**
Furzley Ct. Hav —3C **16**
Fyning St. Ports —1D **46**

Gainsborough M. Fare —3B **20**
Gains Rd. S'sea —5E **47**
Galaxie Rd. Water —3B **6**
Gale Moor Av. Gos —4H **43**
Gallops, The. Fare —1A **20**
Galt Rd. Ports —3G **27**
Gamble Rd. Ports —5H **37**
Gannets, The. Fare —2D **32**
Garden Clo. Hay I —4B **50**
Garden Ct. Fare —3B **24**
Garden La. S'sea —4C **46**
Gardens, The. Hav —2H **29**
Garden Ter. S'sea —5D **46**
Gardner Rd. Fare —4B **20**
Garfield Rd. Ports —5H **37**
Garland Av. Ems —6D **18**
Garland Cotts. Gos —2D **44**
Garland Ct. Gos —2D **44**
Garnett Clo. Fare —1E **33**
Garnier Pk. Wick —1B **10**
Garnier St. Ports —2D **46**
Garson Rd. Ems —3H **31**
Garstons Clo. Fare —3B **20**
Garstons Rd. Fare —3B **20**
Gatcombe Av. Ports —3B **38**
Gatcombe Dri. Ports —2B **38**
Gatcombe Gdns. Fare —3D **20**
Gate Ho. Rd. Fare —4G **23**
Gaulter Clo. Hav —6G **17**
Gawn Pl. Gos —5E **45**
Gaylyn Way. Fare —3D **20**
Gaza Ho. Fare —6E **9**
Gazelle Clo. Gos —2H **43**
Geoffrey Av. Water —1D **26**
Geoffrey Cres. Fare —4B **22**
George Byng Way. Ports —5G **37**
George St. Gos —2F **45**
George St. Ports —6A **38**
Gibraltar Clo. Fare —1F **21**
Gibraltar Rd. Fare —5H **21**
Gibraltar Rd. S'sea —4B **48**
Gibson Clo. Lee S —1D **42**
(in two parts)
Gifford Clo. Fare —1G **21**
Gilbert Clo. Gos —5D **34**
Gilbert Mead. Hay I —3A **50**
Gilbert Way. Water —4G **15**
Giles Clo. Fare —6B **10**

Giles Clo. Gos —1C **44**
Gilkicker Rd. Gos —6E **45**
Gillies, The. Fare —2A **22**
(in two parts)
Gillman Rd. Ports —2G **27**
Gitsham Gdns. Water —6E **15**
Glade, The. Fare —5F **9**
Glade, The. Hay I —6E **51**
Glade, The. Water —1A **16**
Gladstone Gdns. Fare —4A **24**
Gladstone Pl. Ports —5H **37**
Gladstone Rd. Gos —6G **35**
Gladys Av. Cowp —3A **6**
Gladys Av. Ports —3H **37**
Glamis Clo. Water —1A **16**
Glamis Ct. Fare —2E **33**
Glamorgan Rd. Water —3B **2**
Glasgow Rd. S'sea —4H **47**
Glebe Clo. Hay I —2A **50**
Glebe Dri. Gos —4C **34**
Glebefield Gdns. Ports —3A **26**
Glebe Pk. Av. Hav —2A **28**
Glebe, The. Fare —4E **33**
Glenbrook Wlk. Fare —3E **21**
Glencoe Rd. Ports —6B **38**
Glenelg. Fare —1H **21**
Glenesha Gdns. Fare —1F **21**
Glenleigh Av. Ports —4B **26**
Glenleigh Pk. Hav —1H **29**
Glen, The. Gos —4E **35**
Glenthorne Clo. Fare —4F **33**
Glenthorne Rd. Ports —4C **38**
Glenwood Gdns. Water —4H **5**
Glenwood Rd. Ems —2H **31**
Glidden Clo. Ports —2D **46**
Gloucester M. S'sea —4C **46**
Gloucester Pl. S'sea —4C **46**
Gloucester Rd. Ports —1A **46**
Gloucester Rd. Water —3H **15**
Gloucester Ter. S'sea —4C **46**
Gloucester View. S'sea —4C **46**
Glyn Dri. Fare —3E **33**
Glyn Way. Fare —3E **33**
Godiva Lawn. S'sea —4A **48**
Godwin Clo. Ems —6C **18**
Godwin Cres. Water —1C **2**
Godwit Clo. Gos —5H **35**
Godwit Rd. S'sea —1A **48**
Gofton Av. Ports —4D **26**
Goldcrest Clo. Fare —3E **23**
Goldfinch La. Lee S —6H **33**
Goldring Clo. Hay I —4C **50**
Goldsmith Av. S'sea —3E **47**
Gold St. S'sea —4B **46**
Gomer Ct. Gos —4A **44**
Gomer La. Gos —3A **44**
Goodsell Clo. Fare —3D **32**
Goodwood Clo. Gos —5H **35**
Goodwood Clo. Water —6B **6**
Goodwood Ct. Ems —3H **31**
Goodwood Rd. Gos —5H **35**
Goodwood Rd. S'sea —4E **47**
Gordon Rd. Ems —2D **30**
Gordon Rd. Fare —2A **22**
Gordon Rd. Gos —3C **44**
Gordon Rd. Ports —4B **46**
Gordon Rd. S'brne —4F **31**
Gordon Rd. Water —3F **15**
Goring Av. Water —1D **2**
(in two parts)
Gorley Ct. Hav —3D **16**
Gorran Av. Gos —4C **34**
Gorselands Way. Gos —5D **34**
Gorseway, The. Hay I —4H **49**
Gosport Rd. Fare —4B **22**
Gosport Rd. Lee S —2D **42**

Gosport Rd. Stub —2F **33**
Gould Clo. Gos —1H **43**
Grafton St. Ports —6G **37**
Graham Rd. Gos —1C **44**
Graham Rd. S'sea —4E **47**
Granada Clo. Water —3A **6**
Granada Rd. S'sea —6E **47**
Grand Pde. Hay I —5C **50**
Grand Pde. Ports —4A **46**
Grange Clo. Gos —1B **44**
Grange Clo. Hav —1H **29**
Grange Cres. Gos —1B **44**
Grange La. Gos —5C **34**
(in two parts)
Grange Rd. Gos —3H **43**
Grange Rd. Ports —4H **37**
Grant Rd. Ports —3F **27**
Granville Clo. Hav —2G **29**
Grasmere Way. Fare —1F **33**
Grassmere Way. Water —5B **6**
Grateley Cres. Hav —5C **16**
Grayland Clo. Hay I —3A **50**
Grays Clo. Gos —4A **44**
Grays Ct. Ports —3A **46**
Grayshott Rd. Gos —3B **44**
Grayshott Rd. S'sea —3F **47**
Graysland La. S'wick —2H **13**
Gt. Copse Dri. Hav —3E **17**
Greatfield Way. Row C —4H **7**
Gt. Gays. Fare —4C **32**
Gt. Mead. Water —4C **4**
Gt. Southsea St. S'sea —4C **46**
Grebe Clo. Fare —3F **23**
Grebe Clo. Water —3G **5**
Greenacre Gdns. Water —5F **15**
Greenbanks Gdns. Fare —1D **22**
Green Cres. Gos —4C **34**
Greendale Clo. Fare —5F **9**
Greendale, The. Fare —5F **9**
Green Farm Gdns. Ports —1B **38**
Greenfield Cres. Water —2C **6**
Greenfield Rise. Water —4C **4**
Greenhaven Caravan Pk. Hay I
—6G **51**
Green Hollow Clo. Fare —5H **9**
Green La. Alv —4C **44**
(in three parts)
Green La. Clan —1C **2**
Green La. Den —2A **4**
Green La. Gos —6H **35**
Green La. Hay I —4A **50**
Green La. Ports —2B **38**
Green La. Water —1E **3**
Greenlea Clo. Water —1D **26**
Greenlea Rd. Gos —6F **35**
Green Link. Lee S —2D **42**
Green Pond Corner. Hav —2H **29**
Green Rd. Fare —1E **33**
Green Rd. Gos —5C **44**
Green Rd. S'sea —4C **46**
Green, The. Ports —2A **46**
Green, The. Row C —5H **7**
Green Wlk. Fare —6G **9**
Greenway Rd. Gos —1D **44**
Greenway, The. Ems —5D **18**
Greenwood Av. Ports —3H **25**
Greenwood Clo. Fare —5A **10**
Greetham St. S'sea —2C **46**
Gregson Av. Gos —2C **34**
Gregson Clo. Gos —2C **34**
Grenfield Ct. Ems —6D **18**
Grenville Rd. S'sea —4E **47**
Greville Grn. Ems —5C **18**
Greyfriars Rd. Fare —1E **21**
Greyshott Av. Fare —3E **21**
Greywell Pde. Hav —4F **17**
Greywell Rd. Hav —4F **17**

Greywell Shopping Precinct. Hav —4F 17
Grindle Clo. Fare —2A 24
Gritanwood Rd. S'sea —4H 47
Grosvenor Ct. Fare —3F 33
Grosvenor Ho. S'sea —3C 46
Grosvenor St. S'sea —3C 46
Grove Av. Fare —5A 24
Grove Av. Gos —2E 45
Grove Bldgs. Gos —3E 45
Grove Rd. Cosh —4E 27
Grove Rd. Fare —2A 22
Grove Rd. Hav —2F 29
Grove Rd. Lee S —1C 42
Grove Rd. N. Gos —6H 35
Grove Rd. N. S'sea —4D 46
Grove Rd. S. Gos —1D 44
Grove Rd. S. S'sea —4C 46
Grove, The. Fare —3D 32
Gruneisen Rd. Ports —3G 37
Guardhouse Rd. Ports —6F 37
Guardroom Rd. Ports —4F 37
Gudge Heath La. Fare —6F 9
Guelders, The. Water —6G 15
Guessens La. Titch —3B 20
Guessens Path. Titch —3B 20
Guildford Clo. Ems —1H 31
Guildford Ct. Gos —2H 43
Guildford Rd. Ports —1E 47
(in three parts)
Guildhall Sq. Ports —2C 46
Guildhall Wlk. Ports —3B 46
Guillemot Gdns. Gos —2B 34
Gull Clo. Gos —3B 34
Gunners Bldgs. Ind. Est. Ports —1B 38
Gunners Row. S'sea —5H 47
Gunners Way. Gos —5F 35
Gunstore Rd. Ports —1C 38
Gunwharf Rd. Ports —3A 46
Gurnard Rd. Ports —4A 26
Gurney Rd. S'sea —3H 47
Gutner La. Hay I —4E 41
Gwatkin Clo. Hav —6C 16
Gypsy La. Water —2H 5

Haddon Clo. Fare —2G 21
Hadleigh Rd. Ports —3H 25
Hale St. N. Ports —1D 46
Hale St. S. Ports —1D 46
Half Moon St. Ports —2A 46
Halfpenny La. Ports —4A 46
Halifax Rise. Water —2H 15
Hallett Rd. Hav —1H 29
Halletts Clo. Fare —2E 33
Halliday Clo. Gos —2D 44
Halliday Cres. S'sea —4A 48
Halsey Clo. Gos —4B 44
Halstead Rd. Ports —3H 25
Hamble Ct. Fare —2D 32
Hambledon Pde. Water —5E 5
Hambledon Rd. Clan —2E 3
Hambledon Rd. Den & Water —1A 4
Hamble Ho. Fare —4A 22
Hamble La. Water —4G 15
Hamble Rd. Gos —3B 44
Hambrook Rd. Gos —1C 44
Hambrook St. S'sea —4B 46
Hamilton Clo. Hav —3F 29
Hamilton Enterprise Cen. Ports —4G 27
Hamilton Gro. Gos —3B 34
Hamilton Rd. Cosh —3C 24
Hamilton Rd. Ports —1C 38
Hamilton Rd. S'sea —5D 46

Ham La. Ems —4H 31
Ham La. Gos —5G 35
Ham La. Water —5A 2
Hamlet Way. Gos —4G 35
Hammond Ct. Gos —3G 45
Hammond Ind. Est. Fare —4F 33
Hammond Rd. Fare —1F 21
Hampage Grn. Hav —2D 16
Hampshire St. Ports —6A 38
Hampshire Ter. Ports —3B 46
Hampton Clo. Water —1A 16
Hampton Gro. Fare —2D 20
Hanbidge Cres. Gos —1D 34
Hanbidge Wlk. Gos —1D 34
Handley Rd. Gos —1B 44
Hannah Gdns. Water —1H 15
Hannington Rd. Hav —2D 16
Hanover Ct. Ports —4A 46
Hanover Gdns. Fare —6B 10
Hanover Ho. Gos —6B 22
Hanover St. Ports —2A 46
Hanway Rd. Ports —5A 38
Ha'penny Dell. Water —6G 15
Harbour Rd. Gos —2F 45
Harbour Rd. Hay I —3G 49
Harbourside. Hav —5F 29
Harbour Tower. Gos —3G 45
Harbour View. Fare —5A 24
Harbour Way. Ems —3E 31
Harbour Way. Ports —3G 37
Harbridge Ct. Hav —2D 16
Harcourt Clo. Water —3A 6
Harcourt Rd. Fare —4D 20
Harcourt Rd. Gos —2C 44
Harcourt Rd. Ports —6A 38
Harding Rd. Gos —1B 44
Hard Interchange, The. Ports —2A 46
Hard, The. Ports —2A 46
Hardy Rd. Ports —3G 27
Harebell Clo. Fare —6C 10
Harestock Rd. Hav —6D 16
Harkness Dri. Water —6B 6
Harlequin Gro. Fare —2H 21
Harleston Rd. Ports —2H 25
Harley Wlk. Ports —1D 46
Harold Rd. Ems —5F 19
Harold Rd. Fare —2F 33
Harold Rd. Hay I —5D 50
Harold Rd. S'sea —4E 47
Harrier Clo. Lee S —1D 42
Harrier Clo. Water —6A 2
Harriet Clo. Fare —3D 32
Harrison Rd. Fare —1B 22
Harris Rd. Gos —2D 34
Harrow Rd. S'sea —3E 47
Harting Clo. Water —1D 2
Harting Gdns. Fare —2A 24
Hartington Rd. Gos —1B 44
Hartland Ct. Ems —2H 31
Hartland's Rd. Fare —2B 22
Hartley Rd. Ports —2H 37
Hart Plain Av. Water —3F 5
(in two parts)
Harts Farm Clo. Hav —3D 28
Harts Farm Way. Hav —3B 28
Hartwell Rd. Ports —1D 38
Hartwood Gdns. Water —5G 5
Harvester Dri. Fare —2D 20
Harvestgate Wlk. Hav —3D 16
Harvest Rd. Water —2A 4
Harvey Rd. Ports —2A 26
Harwich Rd. Ports —2H 25
Harwood Clo. Gos —1C 34
Harwood Rd. Gos —1C 34
Haselworth Dri. Gos —6D 44

Haslar Jetty Rd. Gos —5F 45
Haslar Rd. Gos —3G 45
Haslar Sea Wall. Gos —6F 45
Haslar Ter. Gos —5F 45
Haslemere Gdns. Hay I —5H 51
Haslemere Rd. Ems —1H 31
Haslemere Rd. S'sea —4F 47
Hassocks, The. Water —2A 16
Hastings Av. Gos —5F 35
Hastings Ho. Ports —3G 37
Hatch Ct. Hav —2C 16
Hatfield Rd. S'sea —4G 47
Hathaway Gdns. Water —6B 6
Hatherley Cres. Fare —3G 23
Hatherley Dri. Fare —3H 23
Hatherley Rd. Ports —2E 25
Havant Bus. Cen. Hav —3D 28
Havant By-Pass. Ports & Hav —5C 26
Havant Farm Clo. Hav —6F 17
Havant Retail Pk. Hav —2B 28
Havant Rd. Dray & Hav —3B 26
Havant Rd. Ems —2A 30
Havant Rd. Hay I —2B 40
Havant Rd. Horn & Row C —6D 2
Havant Rd. Ports —4A 38
Havant St. Ports —2A 46
Havelock Rd. S'sea —3D 46
Haven Cres. Fare —4B 32
Haven Rd. Hay I —6G 51
Haven, The. Gos —5D 44
Haven, The. S'sea —2H 47
Havisham Rd. Ports —6G 37
Hawk Clo. Fare —3D 32
Hawke St. Ports —2A 46
Hawkewood Av. Water —5F 5
Hawkins Rd. Gos —3D 34
Hawkley Clo. Hav —3E 17
Hawkwell. Fare —3F 23
Hawstead Grn. Hav —3D 16
Hawthorn Clo. Fare —2H 23
Hawthorn Cres. Ports —5B 26
Hawthorn Gro. Hay I —3C 50
Hawthorn Rd. Den —3A 4
Hawthorn Rd. Horn —3C 2
Hawthorn Wlk. Lee S —1D 42
Haydock M. Water —6B 6
Hayes Clo. Fare —6F 9
Hayling Av. Ports —6C 38
Hayling Billy Bus. Cen. Hay I —3H 49
Hayling Clo. Fare —3F 21
Hay St. Ports —2B 46
Haywards Bus. Cen. Hav —6H 17
Hazeldean Ct. Row C —6H 7
Hazeldean Dri. Row C —6H 7
Hazeley Grn. Hav —4H 17
Hazel Gro. Water —2G 3
Hazelholt Dri. Hav —6D 16
Hazel Rd. Water —2G 3
Hazelwood. Fare —6D 20
Hazelwood Av. Hav —6B 16
Hazleton Ind. Est. Horn —1C 6
Hazleton Way. Water —2B 6
Headley Clo. Lee S —1D 42
Heath Clo. Water —6B 2
Heathcote Rd. Ports —4B 38
Heather Clo. Gos —3B 34
Heather Clo. Water —3H 15
Heather Gdns. Fare —6F 9
Heatherton M. Ems —6D 18
Heathfield Av. Fare —2F 21
Heathfield Rd. Ports —5H 37
Heath La. Titch —4A 20
Heath Lawns. Fare —2F 21
Heath, The. Den —3C 4
Heaton Rd. Gos —6F 35

Hebrides Clo. Fare —2D 32
Heckfield Clo. Hav —4H 17
Hector Clo. Water —1G 27
Hector Rd. Fare —6A 22
Hedge End Wlk. Hav —3A 18
Hedgerow Gdns. Ems —6D 18
Hedley Ho. Ports —3H 27
Heidelberg Rd. S'sea —3F 47
Heights, The. Fare —1D 22
Helena Rd. S'sea —5F 47
Hellyer Rd. S'sea —4G 47
Helsby Clo. Fare —3G 21
Helsted Clo. Gos —3A 44
Helston Dri. Ems —6C 18
Helston Rd. Ports —2D 24
Hemlock Rd. Water —3G 5
Hempsted Path. Ports —2F 25
Hempsted Rd. Ports —2F 25
Hemsley Wlk. Water —3A 6
Henderson Rd. S'sea —4H 47
Henley Gdns. Fare —5F 9
Henley Rd. S'sea —5F 47
Henry Cort Dri. Fare —6E 9
Henry St. Gos —3E 45
Henville Clo. Gos —5D 34
Herbert Rd. Gos —2B 44
Herbert Rd. S'sea —5E 47
Herbert St. Ports —6G 37
Hercules St. Ports —5H 37
Hereford Ct. Gos —1G 43
Hereford Rd. S'sea —4D 46
Hermes Rd. Lee S —6F 33
Hermitage Clo. Hav —5E 17
Hermitage Gdns. Water —1H 15
Herne Rd. Ports —3A 26
Heron Clo. S'sea —2H 47
Heron Quay. Ems —4E 31
Herons Clo. Fare —1E 33
Heron Way. Gos —2A 34
Herriott Clo. Water —2A 6
Hertford Pl. Ports —6H 37
Hester Rd. S'sea —3H 47
Heston Wlk. Gos —4A 44
Hewett Clo. Fare —4B 20
Hewett Ho. Titch —4B 20
Hewett Rd. Fare —4B 20
Hewett Rd. Ports —3A 38
Hewitt Clo. Gos —1C 44
Hewlett Ct. Fare —2C 22
Heyshott Gdns. Water —1D 2
Heyshott Rd. S'sea —3F 47
Heyward Rd. S'sea —4E 47
Heywood Gdns. Hav —3D 16
Hickley Path. Fare —1C 22
Highbank Av. Water —6E 15
Highbury Bldgs. Ports —5B 26
Highbury Gro. Ports —5B 26
Highbury St. Ports —3A 46
Highbury Way. Ports —5B 26
Highclere Av. Hav —5D 16
Highcliff Rd. Gos —3B 44
Highcroft Ind. Est. Water —5C 2
Highcroft La. Water —5C 2
High Dri. Gos —4C 34
Highfield Av. Fare —3H 21
Highfield Av. Water —6H 5
Highfield Clo. Water —6H 5
Highfield Pde. Water —6A 6
Highfield Rd. Gos —1B 44
Highfield Rd. Ports —2D 46
Highgate Rd. Ports —4C 38
Highgrove Ind. Pk. Ports —2D 38
Highgrove Rd. Ports —5D 38
Highland Clo. Ems —3C 30
Highland Rd. Ems —2C 30
Highland Rd. S'sea —5F 47
Highlands Pk. Fare —6G 9

Highlands Rd. Cosh —3F **27**
Highlands Rd. Fare —2D **20**
Highland St. S'sea —5G **47**
Highland Ter. S'sea —4F **47**
High Lawn Way. Hav —4E **17**
High Mead. Fare —5G **9**
High St. Cosham, Cosh —4B **26**
High St. Emsworth, Ems —3D **30**
High St. Fareham, Fare —2C **22**
High St. Gosport, Gos —3F **45**
High St. Lee-on-the-Solent, Lee S —1C **42**
High St. Portsmouth, Ports —4A **46**
High St. Southwick, S'wick —3D **12**
High St. Titchfield, Titch —3B **20**
Hightrees. Water —1H **15**
High View. Fare —2A **24**
High Wlk. Fare —6G **9**
Highwood Lawn. Hav —2D **16**
Highwood Rd. Gos —6C **34**
Highworth La. Hay I —2B **50**
Hilary Av. Ports —4C **26**
Hilary Ct. Gos —1H **43**
Hilda Gdns. Water —3C **4**
Hillary Clo. Fare —1C **22**
Hillborough Cres. S'sea —4D **46**
Hillbrow Clo. Fare —6F **9**
Hill Brow Clo. Row C —6H **7**
Hill Coppice Rd. Fare —4A **8**
Hill Croft. Fare —6A **8**
Hilldowns Av. Ports —3G **37**
Hill Dri. Fare —6F **9**
Hiller Wlk. Lee S —1D **42**
Hill Head Rd. Fare —4C **32**
Hillmead Gdns. Hav —1B **28**
Hill Pk. Rd. Fare —5F **9**
Hill Pk. Rd. Gos —1B **44**
Hill Rd. Fare —1A **24**
Hillside Av. Water —1D **26**
Hillside Cres. Ports —2D **24**
Hillside Ind. Est. Horn —5C **2**
Hillsley Rd. Ports —1D **24**
Hillson Dri. Fare —6E **9**
Hillson Ho. Fare —6F **9**
Hilltop Cres. Ports —1E **27**
Hilltop Gdns. Horn —2D **2**
Hillview. Water —2C **6**
Hill View Rd. Fare —2A **24**
Hill Wlk. Fare —6F **9**
Hillway, The. Fare —3A **24**
Hilsea Cres. Ports —6A **26**
Hilsea Mkt. Ports —6A **26**
Hiltingbury Rd. Hav —4G **17**
Hilton Rd. Gos —4E **45**
Hinton Clo. Hav —5C **16**
Hinton Mnr. La. Love —2A **2**
Hipley Rd. Hav —6G **17**
Hitherwood Clo. Water —6B **6**
HMS Daedalus Caravan Pk. Gos —2G **43**
Hobbs Pas. Gos —3G **45**
Hobby Clo. Ports —1C **38**
Hockham Ct. Hav —2C **16**
Hockley Clo. Ports —3H **25**
Hockley Path. Ports —3A **26**
Hodges Clo. Hav —6G **17**
Hoeford Clo. Fare —5B **22**
Hoe, The. Gos —4E **35**
Holbeach Clo. Ports —2A **26**
Holbrook Rd. Fare —3B **22**
Holbrook Rd. Ports —1D **46**
Holbury Ct. Hav —4H **17**
Holcot La. Ports —1E **39**
Holdenby Ct. Ports —1E **39**
Holdenhurst Clo. Water —4C **2**

Hollam Clo. Fare —3D **20**
Hollam Cres. Fare —3D **20**
Hollam Dri. Fare —3D **20**
Hollam Rd. Fare —3D **20**
Hollam Rd. S'sea —2H **47**
Holland Pl. Gos —3D **34**
Holland Rd. S'sea —3E **47**
Hollow La. Hay I —4B **50**
Hollow Rd. Lee S —2D **42**
Hollybank Clo. Water —2C **6**
Hollybank La. Ems —5D **18**
Holly Dri. Water —3A **16**
Holly Gro. Fare —5G **9**
Holly St. Gos —3E **45**
Holman Clo. Water —5A **6**
Holmdale Rd. Gos —6F **35**
Holmefield Av. Fare —5H **21**
Holne Ct. S'sea —4A **48**
Holst Way. Water —4G **15**
Holt Gdns. Row C —4H **7**
Holybourne Rd. Hav —6F **17**
Holyrood Clo. Water —2A **16**
Holywell Dri. Cosh —4F **25**
Homefield Path. Ports —4E **27**
Homefield Rd. Ems —5F **19**
Homefield Rd. Ports —4E **27**
Homefield Way. Water —1F **3**
Home Mead. Water —4B **4**
Homer Clo. Gos —5B **34**
Homer Clo. Water —5G **5**
Homewell. Hav —2F **29**
Honey La. Fare —4F **9**
Honeysuckle Clo. Gos —2B **34**
Honeysuckle Ct. Water —3H **15**
Honeywood Clo. Ports —2B **38**
Hook's Farm Way. Hav —6D **16**
Hook's La. Hav —6C **16**
Hope Pl. Ports —2C **46**
Hope St. Ports —1C **46**
Hopfield Clo. Water —2G **15**
Hopkins Ct. S'sea —5H **47**
Hordle Rd. Hav —5B **16**
Hornbeam Rd. Hav —6H **17**
Horndean Caravan Site. Horn —4C **2**
Horndean Precinct. Horn —6D **2**
Horndean Rd. Hav & Ems —5B **18**
Hornet Clo. Fare —1F **21**
Hornet Clo. Gos —4E **45**
Hornet Rd. Fare —6H **21**
Horsea La. Ports —1H **37**
Horsea Rd. Ports —1A **38**
Horsebridge Rd. Hav —5G **17**
Horse Sands Clo. S'sea —4B **48**
Horton Rd. Gos —1C **34**
Hospital La. Fare —5C **24**
Houghton Clo. Hav —3H **17**
House Farm Rd. Gos —3A **44**
Hove Ct. Lee S —1C **42**
Howard Ho. Gos —5C **44**
Howard Rd. Ports —1A **38**
Howe Rd. Gos —2G **43**
Hoylake Clo. Gos —4C **34**
Hoylake Rd. Ports —2E **27**
Hoylecroft Clo. Fare —6G **9**
Hudson Rd. S'sea —3D **46**
Hulbert Rd. Water & Hav —1G **15**
(in three parts)
Humber Clo. Fare —2D **32**
Hundred, The. Water —6F **5**
Hunter Clo. Gos —6D **34**
Hunter Rd. Ports —2B **26**
Hunter Rd. S'sea —4F **47**
Hunters Lodge. Fare —2D **20**
Hunters Ride. Water —3G **15**
Huntley Clo. Ports —2F **25**
Hurdles, The. Fare —1A **20**

Hurn Ct. Hav —3H **17**
Hursley Rd. Hav —4D **16**
Hurstbourne Clo. Hav —3D **16**
Hurst Clo. Fare —4C **32**
Hurst Grn. Gos —3B **34**
Hurst Grn. Clo. Water —5B **6**
Hurstville Dri. Water —3H **15**
(in two parts)
Hurstwood Av. Ems —2H **31**
Hussar Ct. Water —6E **5**
Hutfield Ct. Gos —2C **44**
Hyde Pk. Rd. S'sea —2C **46**
Hyde St. S'sea —4C **46**
Hythe Rd. Ports —2A **26**

Ibsley Gro. Hav —6D **16**
Icarus Pl. Water —1H **27**
Idsworth Clo. Horn —1E **7**
Idsworth Rd. Cowp —5B **6**
Idsworth Rd. Ports —5C **38**
Iford Ct. Hav —3H **17**
Ilex Wlk. Hay I —4E **51**
Implacable Rd. Lee S —6F **33**
Ingledene Clo. Gos —3D **44**
Ingledene Clo. Hav —1D **28**
Ingleside Clo. Fare —3D **20**
Inglis Rd. S'sea —4E **47**
Inhams La. Water —3A **4**
Inhurst Av. Water —6A **6**
Inhurst Rd. Ports —3A **38**
Inkpen Wlk. Hav —2D **16**
Inner Relief Rd. Water —1F **15**
Invergordon Av. Ports —4D **26**
Inverip Clo. Lee S —6G **33**
Inverness Av. Fare —6G **9**
Inverness Rd. Gos —1C **44**
Inverness Rd. Ports —6A **38**
Iping Av. Hav —4E **17**
Ireland Way. Water —4G **15**
Ironbridge La. S'sea —3A **48**
Iron Mill Clo. Fare —6F **9**
Ironmill La. Titch —4D **8**
Irvine Clo. Fare —6A **10**
Isambard Brunel Rd. Ports —2C **46**
Island Clo. Hay I —2B **40**
Island View Ter. Ports —4G **37**
Island View Wlk. Fare —2A **24**
Islay Gdns. Ports —2B **26**
Itchenor Rd. Hay I —5H **51**
Itchen Rd. Hav —3H **17**
Ithica Clo. Hay I —3C **50**
Ivy Ct. Water —5F **15**
Ivydene Gdns. Water —3A **6**
Ivy La. Navy —1A **46**

Jack Cockerill Way. S'sea —6D **46**
Jackdaw Clo. Cowp —3G **5**
Jackson Clo. Ports —4E **27**
Jacobs Clo. Water —2G **3**
Jacob's St. Ports —1C **46**
Jacomb Pl. Gos —3D **34**
Jacqueline Av. Water —5F **15**
Jago Rd. Ports —1H **45**
Jamaica Pl. Gos —3E **45**
Jamaica Rd. Gos —2F **45**
James Clo. Gos —1C **34**
James Clo. Hay I —4A **50**
James Copse Rd. Water —2H **5**
James Rd. Gos —1C **34**
James Rd. Hav —1D **28**
Jarndyce Wlk. Ports —6H **37**
Jasmine Gro. Water —3A **16**
Jasmine Wlk. Fare —3G **21**

Jasmond Rd. Ports —5B **26**
Jason Pl. Water —1G **27**
Jason Way. Gos —5F **35**
Jay Clo. Fare —6D **20**
Jay Clo. Water —6A **2**
Jellicoe Av. Gos —5B **44**
Jenkins Gro. Ports —6D **38**
Jenner Rd. Ports —2B **26**
Jerram Clo. Gos —4B **44**
Jersey Clo. Fare —4F **33**
Jersey Rd. Ports —5A **38**
Jervis Dri. Gos —1D **44**
Jervis Rd. Ports —3G **37**
Jessica Clo. Water —6B **6**
Jessie Rd. Gos —3C **44**
Jessie Rd. Hav —6C **16**
Jessie Rd. S'sea —3E **47**
Jodrell Clo. Water —6C **2**
Johns Rd. Fare —4B **22**
Jonathan Rd. Fare —2G **21**
Joseph Nye Ct. Ports —2A **46**
Joseph St. Gos —3E **45**
Jubilee Av. Ports —3C **24**
Jubilee Ct. Fare —4A **22**
Jubilee Path. Hav —2D **28**
Jubilee Rd. Fare —3B **24**
Jubilee Rd. Gos —2D **44**
Jubilee Rd. S'sea —4F **47**
Jubilee Rd. Water —6F **5**
Jubilee Ter. S'sea —4B **46**
Julie Av. Fare —2G **21**
Juliet Clo. Water —1B **16**
Juniper Rd. Water —4C **2**
Juniper Sq. Hav —3F **29**
Jura Clo. Ports —2C **26**
Justin Clo. Fare —3G **21**
Jute Clo. Fare —2H **23**

Karen Av. Ports —5E **27**
Kassassin St. S'sea —5G **47**
Kassel Clo. Water —1B **16**
Katrina Gdns. Hay I —2C **50**
Kealy Rd. Gos —1C **44**
Kearsney Av. Ports —2A **38**
Keast Wlk. Gos —1D **34**
Keats Av. Ports —2C **24**
Keats Clo. Water —3H **5**
Keel Clo. Ports —2E **39**
Keep, The. Fare —3B **24**
Kefford Clo. Water —1B **6**
Keith Clo. Gos —1D **44**
Kelly Ct. Fare —1B **22**
Kelly Rd. Water —4G **15**
Kelsey Av. Ems —2H **31**
Kelsey Head. Cosh —4E **25**
Kelvin Gro. Fare —4E **35**
Kempton Pk. Water —6B **6**
Kemshott Ct. Hav —3D **16**
Ken Berry Ct. Hav —3H **17**
Kench, The. Hay I —3D **48**
Kendal Av. Ports —4C **38**
Kendal Clo. Water —3A **6**
Kenilworth Clo. Lee S —6H **33**
Kenilworth Rd. S'sea —6D **46**
Kennedy Av. Fare —6G **9**
Kennedy Clo. Water —5F **15**
Kennedy Cres. Gos —5A **44**
Kennet Clo. Gos —6D **44**
Kensington Rd. Gos —4E **45**
Kensington Rd. Ports —3B **38**
Kent Gro. Fare —5A **24**
Kentidge Rd. Water —4F **15**
Kent Rd. Gos —1B **34**
Kent Rd. S'sea —4C **46**
Kent St. Ports —2A **46**
Kenwood Rd. Fare —5B **24**

Kenya Rd. Fare —4H **23**
Kenyon Rd. Ports —3B **38**
Kestrel Clo. Fare —1D **32**
Kestrel Clo. Water —1C **2**
Kestrel Pl. Ports —4H **27**
Keswick Av. Ports —5C **38**
Kettering Ter. Ports —5G **37**
Keydell Av. Water —2A **6**
Keydell Clo. Water —2A **6**
Keyes Clo. Gos —2C **34**
Keyes Rd. Gos —2C **34**
Keyhaven Clo. Gos —3A **34**
Keyhaven Dri. Hav —4C **16**
Khandala Gdns. Water —5H **15**
Kidmore La. Water —1B **4**
Kielder Gro. Gos —3D **34**
Kilbride Path. Ports —5H **37**
Kilmeston Clo. Hav —3F **17**
Kilmiston Clo. Ports —6A **38**
Kilmiston Dri. Fare —2A **24**
Kiln Acre. (Industrial Site). Fare
—6B **10**
Kiln Rd. Fare —5H **9**
Kiln Rd. Ports —4C **38**
Kilnside. Water —4B **4**
Kilpatrick Clo. Ports —5H **37**
Kilwich Way. Fare —5H **23**
Kimberley Rd. S'sea —5G **47**
Kimbolton Rd. Ports —1G **47**
Kimbridge Cres. Hav —3G **17**
Kimpton Clo. Lee S —1D **42**
Kimpton Ct. Hav —3H **17**
Kimpton Ho. S'sea —6D **46**
King Albert Ct. Ports —1E **47**
King Albert St. Ports —1D **46**
King Arthur's Ct. Ports —2F **27**
King Charles St. Ports —3A **46**
Kingdom Clo. Seg E —4A **8**
King Edward Cres. Ports —3H **37**
Kingfisher Caravan Pk. Gos
—4H **43**
Kingfisher Clo. Hay I —5E **51**
Kingfisher Clo. Row C —6H **7**
Kingfisher Clo. Water —3G **5**
Kingfisher Ct. Hav —4H **17**
Kingfishers. Fare —3F **23**
King George Rd. Fare —4A **24**
King Henry I St. Ports —2B **46**
King John Av. Fare —4H **23**
King Richard I Rd. Ports —3B **46**
Kings Bench All. Ports —2A **46**
Kingsclere Av. Hav —3D **16**
Kingscote Rd. Cosh —1D **24**
Kingscote Rd. Cowp —4F **5**
Kings Croft La. Hav —2C **28**
Kingsdown Pl. Ports —2E **47**
Kingsdown Rd. Water —5E **5**
Kingsey Av. Ems —3C **30**
Kingsland Clo. Ports —2G **25**
Kingsley Grn. Hav —3E **17**
Kingsley Ho. Ems —3C **30**
Kingsley Rd. Gos —6F **35**
Kingsley Rd. S'sea —4H **47**
Kingsmead Av. Fare —4F **33**
Kings Mede. Water —2A **6**
Kingsmill Clo. Gos —4B **44**
King's Rd. Cowp —4H **5**
King's Rd. Ems —3C **30**
King's Rd. Fare —2B **22**
King's Rd. Gos —3D **44**
Kings Rd. Hay I —1C **50**
King's Rd. Lee S —6G **33**
King's Rd. Ports —1A **46**
Kings Rd. S'sea —4B **46**
King's Ter. Ems —3D **30**
King's Ter. S'sea —4B **46**

Kingston Cres. Ports —5H **37**
Kingston Gdns. Fare —5F **9**
Kingston Rd. Gos —2B **44**
Kingston Rd. Ports —5H **37**
King St. Ems —3E **31**
King St. Gos —2F **45**
King St. S'sea —3C **46**
(in two parts)
King St. W'brne —6F **19**
Kingsway. Hay I —2C **40**
Kings Way. Row C —6G **7**
Kingsway, The. Fare —3A **24**
Kingswell Path. Ports —1C **46**
Kingsworthy Rd. Hav —6F **17**
King William St. Ports —1A **46**
Kinnell Clo. Ems —3D **30**
Kinross Cres. Ports —4D **26**
Kintyre Rd. Ports —2B **26**
Kipling Rd. Ports —2A **38**
Kirby Rd. Ports —3A **38**
Kirkstall Rd. S'sea —6E **47**
Kirtley Clo. Ports —5E **27**
Kirton Rd. Ports —4E **27**
Kite Clo. Water —3G **5**
Kittiwake Clo. Gos —3B **34**
Kitwood Grn. Hav —4H **17**
Kneller Ct. Fare —5H **9**
Knights Bank Rd. Fare —4B **32**
Knightwood Av. Hav —4G **17**
Knowsley Cres. Ports —4C **26**
Knowsley Rd. Ports —4B **26**
Knox Rd. Hav —2D **28**
Knox Rd. Ports —4G **37**
Kynan Clo. Gos —5A **36**

Laburnum Av. Cosh —4E **27**
Laburnum Gro. Hay I —3D **50**
Laburnum Gro. Ports —4H **37**
Laburnum Path. Ports —3E **27**
Laburnum Rd. Fare —4B **22**
Laburnum Rd. Water —3F **15**
Ladram Rd. Gos —3A **44**
Lady Betty's Dri. White —3A **8**
Ladybridge Rd. Water —5E **15**
Lake Rd. Ports —1D **46**
Lakeside. Fare —4G **9**
Lakeside. Lee S —3D **42**
Lakeside Av. Ports —6D **38**
Lakeside Holiday Village. Hay I
—5F **51**
Lakesmere Rd. Horn —1C **6**
Lambert Clo. Water —4G **15**
Lambourn Clo. Fare —3F **21**
Lampeter Av. Ports —3D **26**
Lancaster Clo. Fare —2H **23**
Lancaster Clo. Lee S —3F **43**
Lancaster Way. Water —3H **15**
Landguard Rd. S'sea —4G **47**
Landon Ct. Gos —5C **44**
Landon Rd. Gos —5D **34**
Landport St. Ports —1D **46**
Landport St. S'sea —3B **46**
Landport Ter. Ports —3B **46**
Landport View. Ports —1C **46**
Lane End Dri. Ems —3D **30**
Lanes End. Fare —3E **33**
Lane, The. Gos —6C **44**
Lane, The. S'sea —5F **47**
Langbrook Clo. Hav —3F **29**
Langdale Av. Ports —4D **26**
Langford Rd. Ports —6B **38**
Langley Rd. Ports —5A **38**
Langrish Clo. Hav —3G **17**
Langstone Av. Hav —4F **29**
Langstone Bri. Hav & Hay I
—6G **29**

Langstone High St. Hav —5F **29**
Langstone Ho. Fare —4A **22**
Langstone Ho. Hav —6G **17**
Langstone Marina Heights. S'sea
—4B **48**
Langstone Rd. Hav —3F **29**
Langstone Rd. Ports —1G **47**
Langstone Wlk. Fare —3F **21**
Langstone Wlk. Gos —3B **34**
Lansdowne Av. Fare —5B **24**
Lansdowne Av. Water —6D **14**
Lansdowne St. S'sea —3B **46**
Lantana Clo. Water —3H **15**
Lanyard Dri. Gos —1H **43**
Lapthorn Clo. Gos —1B **34**
Lapwing Clo. Gos —6H **35**
Lapwing Clo. Water —6B **2**
Lapwing Gro. Fare —3F **23**
Larch Clo. Lee S —2E **43**
Larches Gdns. Fare —2E **21**
Larchfield Way. Water —2C **6**
Larchwood Av. Hav —5B **16**
Larkhill Rd. Ports —1B **38**
Larkwhistle Wlk. Hav —2C **16**
Lasham Grn. Hav —4H **17**
(off Sharps Rd.)
Lasham Wlk. Fare —3F **21**
Latchmore Forest Gro. Water
—4A **6**
Latchmore Gdns. Water —4H **5**
Latimer Ct. Ports —1D **38**
Lauder Clo. Ems —1H **31**
Laurel Rd. Water —3C **6**
Laurence Grn. Ems —5D **18**
Laurus Clo. Water —4A **16**
Laurus Wlk. Lee S —1D **42**
Lavant Clo. Water —6B **6**
Lavant Dri. Hav —6G **17**
Lavender Rd. Water —3A **16**
Laverock Lea. Fare —2A **24**
Lavey's La. Fare —3C **8**
Lavinia Rd. Gos —2D **44**
Lawn Clo. Gos —5D **34**
Lawnswood Clo. Water —5H **5**
Lawrence Av. Water —5G **5**
Lawrence Rd. Fare —1H **21**
Lawrence Rd. S'sea —4E **47**
Lawrence Wlk. Gos —1H **43**
Lawson Rd. S'sea —3E **47**
Layton Rd. Gos —2C **34**
Leafy La. White —3A **8**
Lealand Gro. Ports —3F **27**
Lealand Rd. Ports —4F **27**
Leamington Cres. Lee S —6H **33**
Lea-Oak Gdns. Fare —6F **9**
Lear Rd. Gos —2D **44**
Leaway, The. Fare —3B **24**
Lechlade Gdns. Fare —5G **9**
Leckford Clo. Fare —1A **24**
Leckford Rd. Hav —3H **17**
Ledbury Rd. Ports —2G **25**
Lederle La. Gos —6C **22**
Leep La. Gos —5D **44**
Lee Rd. Gos —1C **44**
Leesland Rd. Gos —2C **44**
Lees La. Gos —2D **44**
Lees La. N. Gos —2D **44**
Legion Rd. Hay I —3C **50**
Leicester Ct. Gos —2H **43**
Leigh Pk. Shopping Cen. Hav
—4F **17**
Leigh Rd. Fare —1A **22**
Leigh Rd. Hav —1F **29**
Leisure, The. Gos —1D **34**
Leith Av. Ports & Fare —2B **24**
Lendorber Av. Ports —3C **26**
Lennox Clo. Gos —6E **45**

Lennox Rd. N. S'sea —5D **46**
Lennox Rd. S. S'sea —5D **46**
Lennox Row. Ports —1A **46**
Lensyd Gdns. Water —1H **5**
Leofric Ct. S'sea —4A **48**
Leominster Rd. Ports —2F **25**
Leonard Rd. Gos —2E **45**
Leopold St. S'sea —5E **47**
Lerryn Rd. Gos —3D **34**
Lester Av. Hav —1C **28**
Lester Rd. Gos —2B **44**
Leventhorpe Ct. Gos —3E **45**
Leveson Clo. Gos —4B **44**
Leviathan Clo. Fare —3F **33**
Lewington Rd. Ports —1H **47**
Lewis Rd. Ems —6E **19**
Lexden Gdns. Hay I —3A **50**
Leyland Clo. Gos —4D **44**
Liam Clo. Hav —5G **17**
Liberty, The. Water —4A **4**
Lichfield Ct. Gos —2H **43**
Lichfield Rd. Ports —1G **47**
Liddiards Way. Pur —6G **15**
Lidiard Gdns. S'sea —6E **47**
Lightfoot Lawn. S'sea —4A **48**
Lily Av. Water —1D **26**
Limberline Ind. Est. Ports —6C **26**
Limberline Rd. Ports —1C **38**
Limberline Spur. Ports —1C **38**
Lime Gro. Hay I —3G **49**
Lime Gro. Ports —2F **25**
Limes, The. Gos —4D **34**
Limes, The. Hav —3F **29**
Lincoln Ct. Gos —2H **43**
Lincoln Rise. Water —3A **6**
Lincoln Rd. Ports —2E **47**
Linda Gro. Water —4H **5**
Lindbergh Clo. Gos —2H **43**
Lind Clo. Water —6H **15**
Linden Gro. Gos —4D **44**
Linden Gro. Hay I —4C **50**
Linden Lea. Fare —2H **23**
Lindens Clo. Ems —1D **30**
Linden Way. Hav —6F **17**
Linden Way. Water —2C **6**
Lindisfarne Clo. Ports —3C **26**
Lindley Av. S'sea —5G **47**
Lind Rd. Gos —6E **45**
Linford Ct. Hav —2D **16**
Linkenholt Way. Hav —4C **16**
Linklater Path. Ports —6H **37**
Linklater Rd. Ports —6H **37**
Links Clo. Row C —6H **7**
Links La. Hay I —4G **49**
Links La. Row C —5H **7**
Links, The. Gos —4C **34**
Link, The. Water —6A **6**
Link Way. Fare —4E **33**
Linnet Clo. Water —3G **5**
Linnet Ct. Gos —1B **44**
Linnets, The. Fare —3F **23**
Lion St. Ports —2B **46**
Lion Ter. Ports —2B **46**
(in two parts)
Lisle Way. Ems —6C **18**
Liss Rd. S'sea —3F **47**
Lister Rd. Ports —3B **26**
Lith Av. Horn —5C **2**
Lith Cres. Horn —4C **2**
Lith La. Cath —4B **2**
Lith La. Horn —5A **2**
Lit. Acres. Gos —1G **43**
Lit. Anglesey. Gos —5D **44**
Lit. Anglesey Rd. Gos —5C **44**
Lit. Arthur St. Ports —6A **38**
Lit. Chilworth. Gos —2C **44**
Little Clo. Gos —1C **34**

Lit. Coburg St. Ports —2D **46**
Lit. Corner. Water —4B **4**
Lit. Gays. Fare —3C **32**
Lit. George St. Ports —6A **38**
Little Grn. Gos —5C **44**
Littlegreen Av. Hav —5G **17**
Lit. Grn. Orchard. Gos —4C **44**
Lit. Hambrook St. S'sea —4B **46**
Lit. Hyden La. Clan —1F **3**
Little La. Gos —5C **44**
Lit. Mead. Water —4C **4**
Littlepark Av. Hav —6B **16**
Littlepark Ho. Hav —6A **16**
Lit. Southsea St. S'sea —4B **46**
Littleton Gro. Hav —5F **17**
Liverpool Clo. Gos —2H **43**
Liverpool Rd. Fare —5H **21**
Liverpool Rd. Ports —2E **47**
Livesay Gdns. Ports —1F **47**
Livingstone Ct. Gos —1H **43**
Livingstone Rd. S'sea —4D **46**
Lobelia Ct. Water —3A **16**
Locarno Rd. Ports —3B **38**
Lock App. Cosh —4E **25**
Lockerley Rd. Hav —6G **17**
Locksheath Clo. Ports —3D **16**
Locksway Ho. S'sea —3A **48**
Locksway Rd. S'sea —3H **47**
Lock View. Ports —4E **25**
Lodge Av. Ports —3C **26**
Lodge Gdns. Gos —4C **44**
Lodge Rd. Hav —2B **28**
Lodsworth Clo. Water —1D **2**
Lombard St. Ports —4A **46**
Lombardy Clo. Gos —3E **35**
Lombardy Rise. Water —4H **15**
Lomond Clo. Ports —5H **37**
Londesborough Rd. S'sea —4E **47**
London Av. Ports —3H **37**
London Ct. Gos —1G **43**
London Mall. Ports —3A **38**
London Rd. Cosh & Water
—3B **26**
London Rd. Horn —4D **2**
London Rd. Ports —4H **37**
Lone Valley. Water —6E **15**
Long Acre Ct. Ports —6A **38**
Long Copse La. Ems —5D **18**
Long Curtain Promenade. Ports &
S'sea —4A **46**
Long Curtain Rd. S'sea —5A **46**
Longdean Clo. Ports —2E **25**
Long Dri. Gos —4C **34**
Longfield Av. Fare —4F **21**
Longfield Rd. Ems —6C **18**
(in two parts)
Longlands Rd. Ems —3H **31**
Longmead Gdns. Hav —4F **29**
Longmynd Dri. Fare —3F **21**
Longshore Way. S'sea —3B **48**
Longs La. Fare —2F **33**
Longstaff Gdns. Fare —6H **9**
Longstock Rd. Hav —3H **17**
Longs Wlk. Ports —6H **37**
Long Water Dri. Gos —6E **45**
Longwood Av. Water —4H **5**
Lonsdale Av. Fare —5B **24**
Lonsdale Av. Ports —4C **26**
Lord Howe Av. Ports —3F **37**
Lordington Clo. Ports —3D **26**
Lord Montgomery Way. Ports
—3B **46**
Lords Ct. Ports —1D **46**
Lord's St. Ports —1D **46**
Lorne Rd. S'sea —4E **47**
Lovage Way. Water —4C **2**
Lovatt Gro. Fare —6F **9**

Lovedean La. Cath —4A **2**
Lovedean La. Love & Water
—1G **5**
Lovett Rd. Ports —2B **38**
Lowcay Rd. S'sea —5E **47**
Lwr. Bath La. Fare —2C **22**
Lwr. Bellfield. Titch —4B **20**
Lwr. Bere Wood. Water —2H **15**
Lwr. Brookfield Rd. Ports —1E **47**
Lwr. Church Path. Ports —2C **46**
Lwr. Derby Rd. Ports —4G **37**
Lwr. Drayton La. Ports —4E **27**
Lwr. Farlington Rd. Ports —3G **27**
Lwr. Forbury Rd. S'sea —3D **46**
Lwr. Grove Rd. Hav —2G **29**
Lwr. Quay. Fare —3B **22**
Lwr. Quay Clo. Fare —3B **22**
Lwr. Quay Rd. Fare —3B **22**
Lower Rd. Hav —2B **28**
Lwr. Tye Farm Caravan Pk. Hay I
—4E **41**
Lwr. Wingfield St. Ports —1D **46**
Lowestoft Rd. Ports —2H **25**
Lowland Rd. Water —3A **4**
Loxwood Rd. Water —1H **5**
Luard Ct. Hav —2H **29**
Lucerne Av. Water —5E **5**
Lucknow St. Ports —2E **47**
Ludcombe. Water —2B **4**
Ludlow Rd. Ports —2F **25**
Lugano Clo. Water —5F **5**
Lulworth Clo. Hay I —2C **50**
Lulworth Rd. Lee S —2C **42**
Lumley Rd. Ems —2C **31**
Lumsden Rd. S'sea —4B **48**
Lundy Wlk. Fare —2D **32**
Lutman St. Ems —5C **18**
Lychgate Dri. Water —5B **2**
Lychgate Grn. Fare —6E **21**
Lydney Clo. Ports —3G **25**
Lymbourn Rd. Hav —2G **29**
Lyme Clo. Fare —2E **21**
Lyndhurst Clo. Hay I —5C **50**
Lyndhurst Ho. Hav —3E **17**
Lyndhurst Rd. Gos —3C **44**
Lyndhurst Rd. Ports —3B **38**
Lyne Pl. Water —1B **6**
Lynn Rd. Ports —5B **38**
Lynton Gdns. Fare —6H **9**
Lynton Gro. Ports —5C **38**
Lynwood Av. Water —4F **5**
Lysander Way. Water —1A **16**
Lysses Ct. Fare —2C **22**
Lysses Path. Fare —2C **22**

Mabey Clo. Gos —5E **45**
Mablethorpe Rd. Ports —2A **26**
Macaulay Av. Ports —2D **24**
Madden Clo. Gos —4B **44**
Madeira Rd. Ports —2A **38**
Madeira Wlk. Hay I —4B **50**
Madison Clo. Gos —5E **35**
Madison Ct. Fare —2C **22**
Mafeking Rd. S'sea —4F **47**
Magdala Rd. Cosh —4B **26**
Magdala Rd. Hay I —4A **50**
Magdalen Rd. Ports —2H **37**
Magennis Clo. Gos —6D **34**
Magnolia Clo. Fare —3G **21**
Magnolia Way. Water —3C **6**
Magpie La. Lee S —6H **33**
Magpie Rd. Hav —2H **7**
Magpie Wlk. Hav —3G **7**
Magpie Wlk. Water —3F **5**
Maidford Gro. Ports —1E **39**
Maidstone Cres. Ports —2A **26**

Main Ga. Ports —2A **46**
Main Rd. Ems —3E **31**
Main Rd. Gos —1D **34**
Main Rd. Navy —1H **45**
Main Rd. Ports —3A **46**
Main Rd. Ports —4F **37**
(Whale Island)
Maisemore Gdns. Ems —3B **30**
Maitland St. Ports —6H **37**
Maizemore Wlk. Lee S —1D **42**
Maldon Rd. Ports —3H **25**
Malin Clo. Fare —2D **32**
Malins Rd. Ports —6H **37**
Mallard Gdns. Gos —3B **34**
Mallard Rd. Row C —6G **7**
Mallard Rd. S'sea —2H **47**
Mallards, The. Fare —6A **10**
Mallards, The. Hav —4F **29**
Mallory Cres. Fare —6A **10**
Mallow Clo. Ports —3B **26**
Mallow Clo. Water —3H **15**
Mall, The. Ports —3G **37**
Malmesbury Ct. Hav —3C **16**
Malta Rd. Ports —5A **38**
Malthouse La. Fare —2B **22**
Malthouse Rd. Ports —5H **37**
Maltings, The. Fare —1D **22**
Malus Clo. Fare —4H **21**
Malvern Av. Fare —4G **21**
Malvern M. Ems —2D **30**
Malvern Rd. Gos —2B **44**
Malvern S. S'sea —6D **46**
Malwood Clo. Hav —3G **17**
Manchester Ct. Gos —2H **43**
Manchester Rd. Ports —2E **47**
Mancroft Av. Fare —3E **33**
Manners La. S'sea —3E **47**
Manners Rd. S'sea —3E **47**
Manor Clo. Hav —2F **29**
Manor Clo. Wick —2B **10**
Manor Cres. Ports —4D **26**
Manor Gdns. Ems —2H **31**
Manor Lodge Rd. Row C —5G **7**
Manor M. Ports —3E **27**
Manor Pk. Av. Ports —5C **38**
Manor Rd. Ems —2H **31**
Manor Rd. Hay I —3A **50**
Manor Rd. Ports —6A **38**
Manor Way. Ems —2H **31**
Manor Way. Hay I —5C **50**
Manor Way. Lee S —1C **42**
Mansfield Rd. Gos —5C **34**
Mansion Rd. S'sea —6E **47**
Mansvid Av. Ports —4D **26**
Mantle Clo. Gos —6D **34**
Maple Clo. Ems —1D **30**
Maple Clo. Fare —2E **21**
Maple Clo. Lee S —2D **42**
Maple Cres. Water —1G **3**
Maple Dri. Water —3C **4**
Maple Rd. S'sea —5D **46**
Mapletree Av. Water —2C **6**
Maralyn Av. Water —3G **15**
Marchesi Ct. Fare —1E **33**
Marchwood Ct. Gos —4H **43**
Marchwood Rd. Hav —3E **17**
Margaret Clo. Water —6F **5**
Margarita Rd. Fare —1G **21**
Margate Rd. S'sea —3D **46**
Marigold Clo. Fare —1G **21**
Marina Bldgs. Gos —3D **44**
Marina Clo. Ems —4E **31**
Marina Gro. Fare —4A **24**
Marina Gro. Ports —6D **38**
Marina Keep. Cosh —4E **25**
Marine Cotts. Gos —2D **44**
Marine Ct. S'sea —5G **47**

Marine Pde. E. Lee S —2C **42**
Marine Pde. W. Lee S —6F **33**
Mariners Wlk. S'sea —2H **47**
Mariners Way. Gos —4F **45**
Marine Wlk. Hay I —4E **51**
Marion Rd. S'sea —6E **47**
Marjoram Cres. Water —4B **6**
Mark Anthony Ct. Hay I —4A **50**
Mark Clo. Ports —1B **38**
Mark Ct. Water —1G **15**
Market Pde. Hav —2F **29**
Marketway. Ports —1C **46**
Mark's Rd. Fare —3G **33**
Marks Tey Rd. Fare —6E **21**
Markway Clo. Ems —2B **30**
Marlands Lawn. Hav —3C **16**
Marlborough Clo. Water —4F **15**
Marlborough Ct. Water —4G **15**
Marlborough Ga. Ports —1A **46**
Marlborough Gro. Fare —4A **24**
Marlborough Pk. Hav —6H **17**
Marlborough Rd. Gos —1B **44**
Marlborough Row. Ports —1A **46**
Marldell Clo. Hav —4G **17**
Marles Clo. Gos —5D **34**
Marlin Clo. Gos —1H **43**
Marlow Clo. Fare —5G **9**
Marmion Av. S'sea —5D **46**
Marmion Rd. S'sea —5C **46**
Marne Ho. Fare —3G **21**
Marples Way. Hav —2D **28**
Marrels Wood Gdns. Pur —5E **15**
Marsden Rd. Ports —3F **25**
Marshall Rd. Hay I —5E **51**
Marsh Clo. Ports —5E **27**
Marshfield Ho. Ports —4F **27**
Marshlands Rd. Ports —4F **27**
Marshlands Spur. Ports —4G **27**
Marshwood Av. Water —2A **16**
Marston La. Ports —1D **38**
Martello Clo. Ports —4H **43**
Martha St. Ports —1C **46**
Martin Av. Fare —3F **33**
Martin Av. Water —3C **4**
Martin Clo. Lee S —6H **33**
Martin Rd. Hav —5G **17**
Martin Rd. Ports —5C **38**
Marvic Ct. Hav —3E **17**
Mary Rose Clo. Fare —6G **9**
Mary Rose St., The. Ports —2C **46**
Mary St. Ports —2D **46**
Masefield Av. Ports —2D **24**
Masefield Cres. Water —4H **5**
Masten Cres. Gos —5C **34**
Matapan Rd. Ports —1H **37**
Matthews Clo. Hav —6C **16**
Maurice Rd. S'sea —3A **48**
Mavis Cres. Hav —1F **29**
Maxstoke Clo. S'sea —2D **46**
Maxwell Rd. S'sea —4G **47**
Maydman Sq. Ports —1G **47**
Mayfield Clo. Fare —2F **33**
Mayfield Rd. Gos —4E **45**
Mayfield Rd. Ports —3A **38**
Mayflower Clo. Fare —4E **33**
Mayflower Dri. S'sea —2A **48**
Mayhall Rd. Ports —4C **38**
Maylands Av. S'sea —2G **47**
Maylands Rd. Hav —1B **28**
Mayles Clo. Wick —2B **10**
Mayles La. Wick —2B **10**
Mayles Rd. S'sea —2A **48**
Maylings Farm Rd. Fare —6H **9**
Maynard Clo. Gos —1C **34**
Maynard Pl. Water —6H **9**
Mayo Clo. Ports —6H **37**
May's La. Fare —2E **33**

Maytree Gdns. Water —4G **5**
Maytree Rd. Cowp —4G **5**
Maytree Rd. Fare —2A **22**
Meadend Clo. Hav —4H **17**
Mead End Rd. Water —4C **4**
Meadowbank Rd. Fare —2F **21**
Meadow Clo. Hay I —2B **40**
Meadow Edge. Water —1D **26**
Meadowlands. Hav —2G **29**
Meadowlands. Row C —4H **7**
Meadow Rise. Water —4B **6**
Meadows, The. Fare —6C **10**
Meadows, The. Water —1E **15**
Meadow St. S'sea —4B **46**
Meadowsweet. Water —6B **6**
Meadow, The. Water —3B **4**
Meadow Wlk. Gos —6B **22**
Meadow Wlk. Ports —1C **46**
Mead, The. Gos —2B **34**
Mead Way. Fare —6B **10**
Meadway. Water —6A **6**
Meath Clo. Hay I —6E **51**
Medina Ct. Lee S —6F **33**
Medina Ho. Fare —4A **22**
Medina Rd. Ports —3H **25**
Medstead Rd. Hav —6F **17**
Melbourne Pl. S'sea —3B **46**
Mellor Clo. Ports —3H **25**
Melrose Clo. S'sea —3H **47**
Melrose Gdns. Gos —6F **35**
Melville Rd. Gos —6G **35**
Melville Rd. S'sea —4B **48**
Melvin Jones Ho. Fare —1E **33**
Mendips Rd. Fare —3G **21**
Mendips Wlk. Fare —3F **21**
Mengham Av. Hay I —5C **50**
Mengham La. Hay I —4C **50**
Mengham Rd. Hay I —4C **50**
Menin Ho. Fare —1E **21**
Meon Clo. Gos —3B **34**
Meon Clo. Water —1D **2**
Meon Ho. Fare —4A **22**
Meon Rd. Fare —1A **32**
Meon Rd. S'sea —3G **47**
Merchistoun Rd. Water —6B **2**
Mercury Pl. Water —1G **27**
Mere Croft. Fare —6A **8**
Meredith Rd. Ports —2A **38**
Merganser Clo. Gos —6H **35**
Meriden Rd. S'sea —3B **46**
Meridian Cen. Hav —2F **29**
Merlin Dri. Ports —1C **38**
Merlin Gdns. Fare —2H **23**
Mermaid Rd. Fare —6H **21**
Merrivale Ct. Ems —2H **31**
Merrivale Rd. Ports —2A **38**
Merrow Clo. Fare —3G **23**
Merryfield Av. Hav —4D **16**
Merstone Rd. Gos —3C **34**
Merthyr Av. Ports —2D **26**
Merton Av. Fare —5B **24**
Merton Cres. Fare —5A **24**
Merton Rd. S'sea —4C **46**
Meryl Rd. S'sea —3A **48**
Methuen Rd. S'sea —4G **47**
Mewsey Ct. Hav —2D **16**
Mews, The. Gos —3G **45**
Mews, The. Hav —5E **17**
Mey Clo. Water —2A **16**
Meyrick Rd. Hav —2D **28**
Meyrick Rd. Ports —4G **37**
Michael Crook Clo. Hav —6C **16**
Midas Clo. Water —5H **15**
Middlecroft La. Gos —1B **44**
Middle Mead. Fare —3D **20**
Middle Pk. Way. Hav —5D **16**
Middlesex Rd. S'sea —4H **47**

Middle St. S'sea —3C **46**
Middleton Clo. Fare —4G **21**
Middleton Rise. Water —1D **2**
Middleton Wlk. Fare —4G **21**
Midfield Clo. Fare —4H **21**
Midway Av. Ports —6A **26**
Midways. Fare —4E **33**
Milam Ct. Hay I —3A **50**
Milbeck Clo. Water —4A **6**
Mile End Pl. Ports —6G **37**
Mile End Rd. Ports —6G **37**
Milford Clo. Hav —6D **16**
Milford Ct. Gos —4H **43**
Milford Rd. Ports —2D **46**
Military Rd. Alv —6C **44**
(in two parts)
Military Rd. Fare —1D **2**
Military Rd. Gos —3A **44**
Military Rd. Gos —4G **43**
(Browndown)
Military Rd. Gos —3G **35**
(Fort Elson)
Military Rd. Hils —6B **26**
Military Rd. Navy —1B **46**
Military Rd. Ports —1D **24**
Milk La. Water —3E **15**
Millbrook Dri. Hav —3G **17**
Mill Clo. Water —3D **4**
Mill End. Ems —3E **31**
Miller Dri. Fare —6H **9**
(in two parts)
Mill La. Ems —2E **31**
Mill La. Gos —1D **44**
Mill La. Hav —2C **28**
Mill La. Lang —4E **29**
Mill La. Ports —6G **37**
Mill La. Titch —2C **20**
Mill La. Water —1A **26**
Mill La. Wick —1B **10**
Mill Pond Rd. Gos —1D **44**
Mill Quay. Ems —4E **31**
Mill Rd. Den —3C **4**
Mill Rd. Ems —5F **19**
Mill Rd. Fare —3A **22**
Mill Rd. Gos —1C **44**
Mill Rd. Water —3F **15**
Mill Rythe Holiday Village. Hay I
—1E **51**
Mill Rythe La. Hay I —6C **40**
Mills Rd. Ports —4H **37**
Mill St. Titch —3C **20**
Milton La. S'sea —2F **47**
Milton Locks. S'sea —3B **48**
Milton Pde. Cowp —5G **5**
Milton Pk. Av. S'sea —3G **47**
Milton Rd. Ports & S'sea —1G **47**
Milton Rd. Water & Cowp —6F **5**
Milverton Ho. S'sea —3D **46**
Milvil Ct. Lee S —1C **42**
Milvil Rd. Lee S —1C **42**
Minden Ho. Fare —3H **21**
Minerva Clo. Water —1G **27**
Minley Ct. Hav —4H **17**
Minstead Rd. S'sea —4H **47**
Minster Clo. Fare —1E **21**
Minter's Lepe. Water —6G **15**
Mission La. Water —4A **6**
Mitchell Rd. Hav —6B **16**
Mitchell Way. Ports —2D **38**
Moat Ct. Gos —4H **43**
Moat Dri. Gos —4H **43**
Moat Wlk. Gos —4H **43**
Mobile Home Pk. Horn —2D **2**
Mole Hill. Water —4H **15**
Molesworth Rd. Gos —3E **45**
(in two parts)
Monarch Clo. Water —2A **16**

Monckton Rd. Gos —6D **44**
Monckton Rd. Ports —3B **38**
Moneyfield Av. Ports —4C **38**
Moneyfield Path. Ports —4D **38**
Moneyfields La. Ports —5C **38**
(in two parts)
Monk's Hill. Ems —4F **19**
Monks Hill. Fare —5E **33**
Monks Way. Fare —4D **32**
Monkwood Clo. Hav —4D **16**
Monmouth Rd. Ports —3H **37**
Monroe Clo. Gos —4A **44**
Montague Rd. Ports —4A **38**
Montague Wallis Ct. Ports
—2B **46**
Montana Ct. Water —3H **15**
Monterey Dri. Hav —5G **17**
Montgomerie Rd. S'sea —3D **46**
Montgomery Rd. Gos —1C **34**
Montgomery Rd. Hav —2G **29**
Montgomery Wlk. Water —4F **15**
Montrose Av. Fare —2C **24**
Montserrat Rd. Lee S —1C **42**
Monument La. Fare —4H **11**
Monxton Grn. Hav —3H **17**
Moody Rd. Fare —4D **32**
Moore Gdns. Gos —3B **44**
Moorgreen Rd. Hav —4G **17**
Moorings Way. S'sea —2H **47**
Moorland Rd. Ports —1E **47**
Moor Pk. Water —5B **6**
Moortown Av. Ports —2E **27**
Moraunt Clo. Gos —5A **36**
Moraunt Dri. Fare —5H **23**
Moreland Rd. Gos —2D **44**
Morelands Ct. Water —5H **15**
Morelands Rd. Water —5G **15**
Morgan Rd. S'sea —3A **48**
Morgan's Dri. Fare —6E **21**
Morley Cres. Water —4A **6**
Morley Rd. S'sea —5G **47**
Morningside Av. Fare —2C **24**
Morris Clo. Gos —1C **34**
Morshead Cres. Fare —6H **9**
Mortimer Lawn. Hav —2D **16**
Mortimer Rd. Ports —2G **25**
Mortimore Rd. Gos —1B **44**
Mosdell Rd. Ems —3H **31**
Moulin Av. S'sea —5E **47**
Mound Clo. Gos —4C **44**
Mountbatten Clo. Gos —1C **34**
Mountbatten Dri. Water —3E **15**
Mountbatten Sq. S'sea —5H **47**
Mount Dri. Fare —3D **20**
Mt. Pleasant Rd. Gos —5D **44**
Mount, The. Gos —4E **35**
Mountview Av. Fare —2C **24**
Mountwood Rd. Ems —2H **31**
Mousehole Rd. Ports —2D **24**
Muccleshell Clo. Hav —5G **17**
Mulberry Av. Fare —4E **33**
Mulberry Av. Ports —3C **26**
Mulberry Clo. Gos —3D **44**
Mulberry La. Ports —4C **26**
Mulberry Path. Ports —4C **26**
Mumby Rd. Gos —2E **45**
Mundays Row. Water —4C **2**
Munster Rd. Ports —3H **37**
Murefield Rd. Ports —2D **46**
Muriel Rd. Water —1G **15**
Murray Clo. Fare —1G **21**
Murray Rd. Water —1B **6**
Murray's La. Ports —1H **45**
Murrell Grn. Hav —4H **17**
Murrills Est. Fare —3C **24**
Muscliffe Ct. Hav —4H **17**
Museum Rd. Ports —3B **46**

My Lord's La. Hay I —4D **50**
Myrtle Av. Fare —4B **24**
Myrtle Clo. Gos —2C **34**
Myrtle Gro. Ports —6D **38**

Nailsworth Rd. Ports —2F **25**
Naish Ct. Hav —2C **16**
Naish Dri. Gos —4G **35**
Nancy Rd. Ports —2E **47**
Napier Clo. Gos —2H **43**
Napier Ct. Gos —2H 43
(off Grange Rd.)
Napier Cres. Fare —2E **21**
Napier Rd. S'sea —5D **46**
Napier Rd. Water —1C **6**
Narvik Rd. Ports —1H **37**
Naseby Clo. Ports —2E **25**
Nashe Clo. Fare —6F **9**
Nashe Ho. Fare —6E **9**
Nashe Way. Fare —6E **9**
Nasmith Clo. Gos —3A **44**
Navy Rd. Ports —6E **37**
Needles Ho. Fare —4A **22**
Neelands Gro. Ports —3C **24**
Nelson Av. Fare —4H **23**
Nelson Av. Ports —3H **37**
Nelson Ct. Fare —5H **21**
Nelson Cres. Water —6B **2**
Nelson La. Fare —6A **12**
Nelson Rd. Gos —3D **44**
Nelson Rd. Ports —6H **37**
Nelson Rd. S'sea —4C **46**
Nepean Clo. Gos —6D **44**
Neptune Rd. Fare —1E **21**
Neptune Rd. Fare —6H **21**
(HMS Collingwood)
Nerissa Clo. Water —6B **6**
Nesbitt Clo. Gos —2B **34**
Nessus St. Ports —5H **37**
Netherfield Clo. Hav —2G **29**
Netherton Rd. Gos —6F **35**
Netley Rd. S'sea —5C **46**
Netley Ter. S'sea —5C **46**
Nettlecombe Av. S'sea —6E **47**
Nettlestone Rd. S'sea —5G **47**
Neville Av. Fare —5B **24**
Neville Ct. Gos —3D **44**
Neville Gdns. Ems —6C **18**
Neville Rd. Ports —6C **38**
Nevil Shute Rd. Ports —2C **38**
Newbarn Rd. Hav —6B **16**
Newbolt Clo. Water —4G **5**
Newbolt Rd. Ports —3C **24**
New Brighton Rd. Ems —2D **30**
Newbroke Rd. Gos —5D **34**
Newcastle Ct. Gos —1G **43**
Newcomen Ct. Ports —3G **37**
Newcomen Rd. Ports —3G **37**
Newcome Rd. Ports —1E **47**
New Cut. Hay I —2B **40**
New Down La. Cosh —1C **26**
New Down La. Pur —5D **14**
Newgate La. Fare —2A **34**
Newgate La. Ind. Site. Fare
(in two parts) —5B **22**
Newlands. Fare —1E **21**
Newlands Av. Gos —3C **44**
Newlands La. Water —2C **2**
Newlands Rd. Water —4F **15**
New La. Hav —1G **29**
Newlease Rd. Water —4H **15**
Newlyn Way. Cosh —4E **25**
Newmer Ct. Hav —3C **16**
Newney Clo. Ports —1B **38**
Newnham Ct. Hav —4H **17**
New Pde. Fare —3B **24**

Newport Rd. Gos —2B **44**
New Rd. Clan —1C **2**
New Rd. Fare —2A **22**
New Rd. Hav —1D **28**
New Rd. Love —1G **5**
New Rd. Ports —6A **38**
New Rd. S'brne —3H **31**
New Rd. W'brne —6F **19**
New Rd. E. Ports —5B **38**
Newton Clo. Fare —1E **33**
Newton Pl. Lee S —6G **33**
New Town. Portc —3B **24**
Newtown Ind. Est. Gos —4E **45**
Newtown La. Hay I —3A **50**
Nicholas Ct. Lee S —2C **42**
Nicholas Cres. Fare —1H **21**
Nicholl Pl. Gos —3C **34**
Nicholson Way. Hav —6E **17**
Nickel St. S'sea —4B **46**
Nickleby Ho. Ports —6H **37**
Nickleby Rd. Water —1F **3**
Nightingale Clo. Gos —1B **44**
Nightingale Clo. Row C —6G **7**
Nightingale Pk. Hav —2H **29**
Nightingale Rd. Ports —2B **26**
Nightingale Rd. S'sea —5B **46**
Nightjar Clo. Water —6A **2**
Nile St. Ems —3D **30**
Nimrod Dri. Gos —1H **43**
Nine Elms La. Fare —5D **10**
Ninian Pk. Rd. Ports —3C **38**
Ninian Path. Ports —3C **38**
Niton Clo. Gos —3C **34**
Nobb's La. Ports —3A **46**
Nobes Av. Gos —2C **34**
Nobes Clo. Gos —3D **34**
Nook, The. Gos —4E **35**
Nore Cres. Ems —2B **30**
Nore Farm Av. Ems —2B **30**
Norfolk Cres. Hay I —5H **49**
Norfolk Rd. Gos —6F **35**
Norfolk St. S'sea —4C **46**
Norgett Way. Fare —5H **23**
Norland Rd. S'sea —4E **47**
Norley Clo. Hav —4E **17**
Norman Clo. Fare —5B **24**
Normandy Gdns. Gos —3B **44**
Normandy Rd. Ports —1H **37**
Norman Rd. Gos —2C **44**
Norman Rd. Hay I —5D **50**
Norman Rd. S'sea —4E **47**
Norman Way. Hav —1C **28**
Norris Gdns. Hav —3G **29**
Norset Rd. Fare —1E **21**
Northam St. Ports —1D **46**
Northarbour Rd. Ports —3G **25**
Northarbour Spur. Ports —3H **25**
North Av. Ports —6A **26**
N. Battery Rd. Ports —3F **37**
Northbrook Clo. Ports —6H **37**
North Clo. Gos —3B **44**
North Cote. Hav —3G **29**
Northcote Rd. S'sea —4E **47**
Northcott Clo. Gos —4B **44**
North Cres. Hay I —5D **50**
Northcroft Rd. Gos —1B **44**
N. Cross St. Gos —3F **45**
North Dri. S'wick —3D **12**
N. End Av. Ports —3H **37**
N. End Gro. Ports —3H **37**
Northern Pde. Ports —2H **37**
Northern Rd. Ports —5A **26**
Northfield Av. Fare —4H **21**
Northfield Caravan Pk. Fare
—1H **23**
Northfield Clo. Horn —3C **2**
Northfield Pk. Fare —2H **23**

Northgate Av. Ports —5B **38**
North Hill. Fare —6B **10**
North La. Water —1F **3**
North Link. Ports —1C **46**
Northney La. Hay I —1E **41**
Northney Rd. Hay I —6G **29**
Northover Rd. Ports —5D **38**
North Path. Gos —1G **43**
North Rd. Horn —3C **2**
North Rd. E. S'wick —3E **13**
North Rd. W. S'wick —3E **13**
N. Shore Rd. Hay I —3H **49**
North St. Bed —1D **28**
North St. Ems —2D **30**
North St. Gos —2F **45**
(in two parts)
North St. Hav —2F **29**
North St. Ports —2A **46**
North St. Ports —1D **46**
(Landport)
North St. W'brne —4F **19**
North St. Arc. Hav —2F **29**
Northumberland Rd. S'sea
—3E **47**
N. Wallington. Fare —1C **22**
North Way. Gos —1C **34**
North Way. Hav —2E **29**
Northway. Titch —6A **8**
Northways. Stub —3F **33**
Northwood La. Hay I —4C **40**
Northwood Rd. Ports —1A **38**
Northwood Sq. Fare —1B **22**
Norton Clo. Water —2F **15**
Norton Dri. Fare —6A **10**
Norton Rd. S'wick —3D **12**
Norway Rd. Ports —1B **38**
Norwich Pl. Lee S —6G **33**
Norwich Rd. Ports —2H **25**
Nottingham Pl. Lee S —6G **33**
Novello Gdns. Water —3G **15**
Nursery Clo. Ems —6D **18**
Nursery Clo. Gos —2B **34**
Nursery Gdns. Water —2A **6**
Nursery La. Fare —3E **33**
Nursery Rd. Hav —1C **28**
Nursling Cres. Hav —4G **17**
Nutbourne Rd. Hay I —5G **51**
Nutbourne Rd. Ports —4F **27**
Nutfield Pl. Ports —1D **46**
Nuthatch Clo. Row C —6H **7**
Nutley Rd. Hav —4D **16**
Nutwick Rd. Hav —6H **17**
Nyewood Av. Fare —2B **24**
Nyria Way. Gos —3F **45**

Oakapple Gdns. Ports —3G **27**
Oak Clo. Water —5G **5**
Oak Ct. Fare —1E **21**
Oakcroft La. Fare —6E **21**
Oakdene. Gos —4D **34**
Oakdown Rd. Fare —2F **33**
Oakes, The. Titch —1D **32**
Oakfield Ct. Hav —4H **17**
Oakhurst Dri. Water —1A **16**
Oakhurst Gdns. Water —1D **26**
Oaklands Gro. Water —4F **5**
Oaklands Rd. Hav —2G **29**
Oaklea Clo. Water —1D **26**
Oakley Rd. Hav —4D **16**
Oak Meadow Clo. Ems —6E **19**
Oakmont Dri. Water —5H **5**
Oak Pk. Dri. Hav —6G **17**
Oak Rd. Fare —1F **21**
Oak Rd. Water —2G **3**
Oaks Coppice. Water —1A **6**
Oakshott Dri. Hav —4G **17**

Oak St. Gos —3E **45**
Oak Tree Dri. Ems —5C **18**
Oakum Ho. Ports —1F **47**
Oakwood Av. Hav —6B **16**
Oakwood Rd. Hay I —4B **50**
Oakwood Rd. Ports —1A **38**
Oberon Clo. Water —1A **16**
Occupation La. Fare —3A **20**
Ocean Clo. Fare —1F **21**
Ocean Ct. Hay I —4A **50**
Ocean Pk. Ports —4D **38**
Ocean Rd. Fare —6H **21**
Ockenden Clo. S'sea —3C **46**
Octavius Ct. Water —6B **6**
Odell Clo. Fare —6H **9**
O J's Ind. Pk. Ports —3C **38**
Olave Clo. Lee S —1C **42**
Old Barn Gdns. Water —1H **5**
Old Bri. Rd. S'sea —5E **47**
Old Canal. S'sea —3H **47**
Old Canal, The. S'sea —3H **47**
Old Commercial Rd. Ports
—6G **37**
Old Copse Rd. Hav —6G **17**
Old Farm La. Ems —6F **19**
Old Farm La. Fare —4E **33**
Old Farm Way. Ports —4G **27**
Old Ga. Gdns. Ports —1B **38**
Old Gosport Rd. Fare —3B **22**
Old La. Water —3B **2**
Old London Rd. Ports —1B **38**
Old Mnr. Way. Ports —4D **26**
Old Rectory Rd. Ports —3G **27**
Old Reservoir Rd. Ports —4F **27**
Old River. Water —4B **4**
Old Rd. Gos —4E **45**
Old Rd., The. Ports —5B **26**
Old Star Pl. Ports —2A **46**
Old St. Fare —4C **32**
Old Timbers. Hay I —4B **50**
Old Turnpike. Fare —6B **10**
Old Turnpike Bus. Pk. Fare
—1B **22**
Old Van Diemans Rd. Water
—4E **15**
Old Wymering La. Ports —3A **26**
Olinda St. Ports —1E **47**
Olive Cres. Fare —5B **24**
Oliver Rd. S'sea —4G **47**
Olivia Clo. Water —6B **6**
*Omega Ho. S'sea —2D **46***
(off Omega St.)
Omega St. S'sea —2D **46**
Onslow Rd. S'sea —6D **46**
Ophir Rd. Ports —3H **37**
Oracle Dri. Water —6G **15**
Orange Gro. Gos —4D **34**
Orange Row. Ems —3D **30**
Orchard Clo. Gos —4G **35**
Orchard Clo. Water —1C **6**
Orchard Gro. Fare —4G **23**
Orchard Gro. Water —4H **5**
Orchard La. Ems —3E **31**
Orchard Rd. Gos —1F **45**
Orchard Rd. Hav —2F **29**
Orchard Rd. Hay I —5C **50**
Orchard Rd. S'sea —3E **47**
Orchard, The. Ports —4B **26**
Orchard, The. Water —3B **4**
Ordnance Ct. Ind. Est. Ports
—6C **26**
Ordnance Rd. Gos —3F **45**
Ordnance Row. Ports —2A **46**
Orford Ct. Ports —4B **26**
Oriel Rd. Ports —3H **37**
Orion Clo. Fare —3F **33**

Orkney Rd. Ports —2B **26**
Ormsby Rd. S'sea —4C **46**
Osborn Cres. Gos —1B **34**
Osborne Clo. Water —1A **16**
Osborne Rd. Gos —2F **45**
Osborne Rd. Lee S —1C **42**
Osborne Rd. S'sea —5C **46**
Osborne View Rd. Fare —4C **32**
Osborn Mall. Fare —2C **22**
Osborn Rd. Fare —2B **22**
Osborn Rd. S. Fare —2B **22**
Osborn Sq. Fare —2C **22**
Osier Clo. Ports —3G **37**
Osprey Clo. Ports —4H **27**
Osprey Ct. Fare —3F **23**
Osprey Dri. Hay I —4D **50**
Osprey Gdns. Lee S —1D **42**
Osprey Quay. Ems —4F **31**
Othello Dri. Water —1A **16**
Otterbourne Cres. Hav —4D **16**
Otter Clo. Gos —2H **43**
Outram Rd. S'sea —4D **46**
Oval Gdns. Gos —3B **44**
Overton Cres. Hav —4D **16**
Overton Rd. Ems —2H **31**
Owen Clo. Gos —6C **34**
Owen St. S'sea —5G **47**
Owslebury Gro. Hav —4F **17**
Oxenwood Grn. Hav —3D **16**
Oxford Clo. Fare —1H **21**
Oxford Rd. Gos —2B **44**
Oxford Rd. S'sea —4E **47**
Oxleys Clo. Fare —3D **20**
Oxted Ct. S'sea —2H **47**
Oyster Ind. Est. Ports —4E **27**
Oyster Quay. Ports —4F **25**
Oyster St. Ports —4A **46**

Padbury Clo. Ports —1B **38**
Paddington Rd. Ports —4B **38**
Paddock End. Water —4B **4**
Paddock, The. Fare —1E **33**
Paddock, The. Gos —4C **44**
Paddock Wlk. Ports —3E **25**
Padnell Av. Water —4A **6**
Padnell Pl. Water —5B **6**
Padnell Rd. Water —4A **6**
Padwick Av. Ports —3C **26**
Paffard Clo. Gos —6C **34**
Paget Rd. Gos —5C **44**
Pagham Gdns. Hay I —5H **51**
Paignton Av. Ports —5C **38**
Pains Rd. S'sea —3D **46**
Painswick Clo. Ports —3G **25**
Painter Clo. Ports —2E **39**
Palk Rd. Hav —1D **28**
Pallant Gdns. Fare —1D **22**
Pallant, The. Hav —2F **29**
Palmer's Rd. Ems —2D **30**
Palmers Rd. Ind. Est. Ems
—2D **30**
Palmerston Av. Fare —2B **22**
Palmerston Bus. Pk. Fare —4A **22**
Palmerston Rd. Hay I —3C **50**
Palmerston Rd. S'sea —5C **46**
Palmerston Way. Gos —5A **44**
Palmyra Rd. Gos —6G **35**
Pamela Av. Ports —2D **24**
Pangbourne Av. Ports —4D **26**
Pannall Rd. Gos —6G **35**
Pan St. Ports —1C **46**
Panton Clo. Ems —6C **18**
Parade Ct. Ports —6A **26**
Parade, The. Fare —2E **33**
Parade, The. Gos —2B **34**
Parade, The. Navy —1A **46**

Paradise La. Ems —5F **19**
Paradise La. Fare —2E **23**
(in two parts)
Paradise St. Ports —1C **46**
Parchment, The. Hav —2F **29**
Parham Rd. Gos —1E **45**
Park Av. Water —1E **27**
Park Clo. Gos —1B **44**
Park Cres. Ems —2B **30**
Parker Clo. Gos —4G **35**
Parker Gdns. Water —1E **27**
Park Farm Av. Fare —6F **9**
Park Farm Clo. Fare —6F **9**
Park Farm Rd. Water —5F **15**
Park Ho. Farm Way. Hav —5B **16**
Parklands. Den —4B **4**
Parklands Av. Water —2A **6**
Parklands Bus. Pk. Den —4B **4**
Parklands Clo. Gos —1D **44**
Park La. Bed —1C **28**
Park La. Cosh —3H **27**
Park La. Cowp & Bed —5A **6**
Park La. Ems —1F **19**
(in two parts)
Park La. Fare —1B **22**
Park La. Stub —3E **33**
(in three parts)
Park La. Water —6B **6**
Park Pde. Hav —5E **17**
(in two parts)
Park Rd. Den —2B **4**
Park Rd. Ems —2H **31**
Park Rd. Gos —5D **44**
Park Rd. Hay I —3G **49**
Park Rd. Ports —3A **46**
Park Rd. Pur —5E **15**
Park Rd. N. Hav —1E **29**
Park Rd. S. Hav —2F **29**
Parkside. Hav —1C **28**
Parkstone Av. S'sea —6E **47**
Parkstone La. S'sea —5E **47**
Park St. Gos —2D **44**
Park St. S'sea —3B **46**
Park Ter. Gos —3E **45**
Park View Ho. Fare —6B **10**
Park Wlk. Fare —6F **9**
Parkway. Fare —6B **10**
Park Way. Hav —2E **29**
Parkway. White —3A **8**
Parkway, The. Gos —3B **34**
Parkwood Bus. Cen. Water
—1G **15**
Parr Rd. Ports —3H **25**
Parsons Clo. Ports —1B **38**
Partridge Clo. Fare —3E **23**
Partridge Gdns. Water —3F **5**
Passfield Wlk. Hav —4H **17**
Passingham Wlk. Water —3A **6**
Pasteur Rd. Ports —2A **26**
Pastures, The. Water —3A **4**
Patchway Dri. Fare —3E **21**
Paulsgrove Enterprise Cen. Ports
—3F **25**
Paulsgrove Ind. Cen. Ports
—3F **25**
Paulsgrove Rd. Ports —5B **38**
Paxton Rd. Fare —2H **21**
Peacock Clo. Fare —3E **23**
Peacock La. Ports —4A **46**
Peak Dri. Fare —3F **21**
Peakfield. Water —3A **4**
Peak La. Fare —4F **21**
Peak Rd. Water —2E **3**
Peak, The. Row C —4H **7**
Pearce Ct. Gos —2E **45**
Peartree Clo. Fare —2F **33**

Pebmarsh Rd. Ports —3H **25**
Pedam Clo. S'sea —4G **47**
Peel Rd. Gos —2E **45**
Pegasus Clo. Gos —2H **43**
Pelham Rd. Gos —2D **44**
Pelham Rd. S'sea —4C **46**
Pelham Rd. Pas. S'sea —4C **46**
Pelham Ter. Ems —3E **31**
Pelican Clo. Fare —1F **21**
Pelican Rd. Fare —6H **21**
Pembroke Clo. Ports —4A **46**
Pembroke Ct. Gos —4C **34**
Pembroke Cres. Fare —3C **32**
Pembroke Rd. Ports —4A **46**
Pembury Rd. Fare —1F **33**
Pembury Rd. Hav —3G **29**
Penarth Av. Ports —3D **26**
Pendennis Rd. Ports —2D **24**
Penhale Rd. Ports —2E **47**
Penhurst Rd. Hav —1B **28**
Penjar Av. Water —5E **15**
Penk Ridge. Hav —3H **27**
Pennant Hills. Hav —1B **28**
Pennant Pk. Fare —6C **10**
Pennerly Ct. Hav —2D **16**
Penner Rd. Hav —4E **29**
Pennine Wlk. Fare —4G **21**
Pennine Way. Lee S —3E **43**
Pennington Way. Fare —6F **9**
Penn Way. Gos —4A **44**
Penny La. Ems —3F **31**
Penny Pl. Water —6G **15**
Penny St. Ports —4A **46**
Penrhyn Av. Ports —3D **26**
Penrose Clo. Ports —3H **37**
Pentere Rd. Water —1A **6**
Pentland Rise. Fare —2B **24**
Penton Ct. Hav —3H **17**
Penwood Grn. Hav —4H **17**
Peper Harow. Water —1B **6**
Pepys Clo. Gos —6D **44**
Pepys Clo. S'sea —4F **47**
Percival Rd. Ports —5B **38**
Percy Rd. Gos —3E **45**
Percy Rd. S'sea —3E **47**
Peregrines, The. Fare —3F **23**
Peronne Clo. Ports —6B **26**
Peronne Rd. Ports —6B **26**
Perseus Pl. Water —6G **15**
Perth Rd. Gos —2D **34**
Perth Rd. S'sea —3H **47**
Pervin Rd. Ports —3B **26**
Peter Ashley La. Ports —2F **27**
*Peterborough Ct. Gos —2H **43***
(off Anson Clo.)
Peterborough Rd. Ports —2A **26**
Petersfield La. Clan —1G **3**
Petersfield Rd. Hav —1E **29**
Petrel Wlk. Gos —3B **34**
Petrie Rd. Lee S —1D **42**
Pettycot Cres. Gos —2B **34**
Petworth Rd. Ports —1H **47**
Philip Rd. Water —4H **15**
Phoenix Sq. Ports —1A **38**
Phoenix Way. Gos —4D **34**
Pickwick Ho. Ports —6H **37**
Pier Head Rd. Ports —5E **37**
Pier Rd. S'sea —5B **46**
Pier St. Lee S —1C **42**
Pigeonhouse La. Pur —3H **13**
Pilgrims Way. Fare —4D **32**
Pilning Clo. Fare —3E **21**
Pine Ct. Ems —5D **18**
Pine Dri. Water —2G **3**
Pine Gro. Hav —2G **29**
Pinehurst Clo. Water —5C **6**
Pines, The. Fare —2G **23**

Pine Tree Gdns. Water —5A **6**
Pine Trees Clo. Fare —3F **21**
Pinewood. Gos —4D **34**
Pinewood Av. Hav —6B **16**
Pinewood Clo. Fare —1F **33**
*Pinewood Lodge. Fare —1B **22***
(off Northwood Sq.)
Pink Rd. Ports —5A **38**
Pinks Hill. Fare —1D **22**
Pinsley Dri. S'wick —3E **13**
Pipers Wood Ind. Pk. Water
—1E **15**
Pipit Clo. Gos —6H **35**
Pipit Clo. Water —1A **6**
Pitcairn M. S'sea —5H **47**
Pitcroft La. Ports —5H **37**
(in two parts)
Pitcroft Rd. Ports —4H **37**
Pitreavie Rd. Ports —5B **26**
Pitymoor La. S'wick —5F **13**
Place Cres. Water —4H **15**
Place Ho. Clo. Fare —2E **21**
Plaitford Gro. Hav —5B **16**
Playfair Rd. S'sea —3D **46**
Pleasant Rd. S'sea —3H **47**
Plover Clo. Fare —3D **32**
Plover Reach. S'sea —2H **47**
Plovers Rd. Water —6A **2**
Plumley Wlk. Hav —2D **16**
Plumpton Gdns. Ports —2E **39**
Plumpton Gro. Water —6B **6**
Plymouth Dri. Fare —3C **32**
Plymouth St. S'sea —3C **46**
Pond Piece. Water —4B **4**
Pook La. Fare —4B **10**
Pook La. Hav —4G **29**
(in three parts)
Popham Ct. Hav —3C **16**
Poplar Dri. Fare —3G **21**
Poplar Gro. Hay I —3C **50**
Portal Rd. Gos —2C **34**
Portchester La. S'wick —6B **12**
Portchester Rd. Fare —2F **23**
Portchester Rd. Ports —5A **38**
Portcreek Cotts. Ports —6D **26**
Portfield Ind. Est. Ports —2C **38**
Portfield Rd. Ports —2C **38**
Portland Bldgs. Gos —3E **45**
Portland Dri. Gos —4H **43**
Portland Rd. S'sea —5C **46**
Portland Rd. Water —2G **15**
Portland St. Fare —2B **22**
Portland St. Ports —2B **46**
Portland Ter. S'sea —5C **46**
Portobello Gro. Fare —2C **24**
Port Royal St. S'sea —2D **46**
Port Royal St. Ind. Est. S'sea
—2D **46**
Portsbridge Roundabout. Ports
—5A **26**
Portsdown Av. Ports —3E **27**
Portsdown Hill Rd. Fare —6H **11**
Portsdown Hill Rd. Ports & Hav
—1H **25**
Portsdown Rd. Ports & Fare
—2C **24**
Portsmouth Enterprise Cen. Ports
—2D **38**
Portsmouth Rd. Cosh —5B **26**
Portsmouth Rd. Lee S —3D **42**
Portsmouth Rd. Water —2B **6**
Portsview Av. Fare —2B **24**
Portsview Gdns. Fare —2B **24**
Portswood Rd. Hav —3D **16**
Portswood Rd. Ports —6A **26**
Port Way. Cosh —3E **25**
Posbrooke Rd. S'sea —3G **47**

Posbrook La. Fare —6A **20**
Postern Clo. Fare —3B **24**
Post Office Rd. Water —4E **15**
Potash Ter. Hav —1E **29**
Potteries, The. Fare —6B **10**
Potters Av. Fare —5A **10**
Poulner Ct. Hav —3C **16**
Pound Clo. Gos —5D **34**
Pound Lea. Hay I —2C **50**
Pounds Ter. Ports —1A **46**
Power Rd. Ports —1E **47**
Powerscourt Rd. Ports —5H **37**
Poyner Clo. Fare —1B **22**
Poynings Pl. Ports —4B **46**
Precinct, The. Gos —3F **45**
Precinct, The. Hay I —4C **50**
Precinct, The. Water —2G **15**
Prelate Way. Titch —1A **20**
Premier Bus. Pk. Fare —5B **22**
Preston Rd. Ports —5B **38**
Pretoria Rd. S'sea —4F **47**
Prideaux-Brune Av. Gos —1C **34**
Primate Rd. Fare —1A **20**
Primrose Clo. Gos —6C **22**
Primrose Ct. Water —3A **16**
Prince Albert Rd. S'sea —4G **47**
Prince Alfred St. Gos —4D **44**
Prince George St. Hav —2F **29**
Prince George St. Ports —2A **46**
Prince of Wales Clo. Water
—2A **16**
Prince of Wales Rd. Gos —3E **45**
Prince Rd. Fare —5H **21**
Princes Ct. Ports —6H **37**
Princes Dri. Water —6A **6**
Princes Pl. Ports —6H **37**
Princess Gdns. Water —6B **2**
Prince's St. Ports —6H **37**
Prinsted Ct. Ems —3H **31**
Prinsted Cres. Ports —4F **27**
Prinsted La. Prin —3G **31**
Prinsted Rd. Prin —4H **31**
Prinsted Wlk. Fare —3F **21**
Priors Clo. Ems —2H **31**
Priorsdean Av. Ports —1G **47**
Priorsdean Cres. Hav —5D **16**
Priory Cres. S'sea —3G **47**
Priory Gdns. Fare —4A **24**
Priory Gdns. Water —6G **15**
Priory Rd. Fare —1F **21**
Priory Rd. Gos —5H **35**
Priory Rd. S'sea —5G **47**
Priory Rd. S'wick —3E **13**
Privett Ho. Ports —1A **46**
Privett Pl. Gos —3A **44**
Privett Rd. Fare —1E **21**
Privett Rd. Gos —4G **43**
Privett Rd. Water —6F **15**
Prochurch Rd. Water —3B **6**
Proctor La. Ports —2F **47**
Promenade. Lee S —6F **33**
Promenade, The. Ems —4D **30**
Promenade, The. Ports —4H **37**
Prospect La. Hav —4H **17**
Prospect Rd. Ports —6G **37**
Puffin Cres. Fare —1D **32**
Puffin Gdns. Gos —2B **34**
Puffin Wlk. Water —3F **5**
Pump La. Gos —4C **34**
Pump La. Water —2A **6**
Purbeck Dri. Fare —3F **21**
Purbeck St. Ports —2A **46**
Purbeck Wlk. Fare —3F **21**
Purbrook Chase Precinct. Water
—6G **15**
Purbrook Gdns. Water —4E **15**
Purbrook Heath Rd. Pur —4B **14**

Purbrook Rd. Ports —2E **47**
Purbrook Way. Pur & Hav
—5H **15**
Purcell Clo. Water —4G **15**
Pycroft Clo. Hay I —2E **41**
Pye St. Ports —1C **46**
Pyle Clo. Water —3A **6**
Pyle La. Horn —2E **7**
Pyramid Cen. Ports —2D **38**
Pyrford Clo. Gos —4A **44**
Pyrford Clo. Water —5G **5**
Pytchley Clo. Fare —3C **32**

Quail Way. Water —1A **6**
Quarely Rd. Hav —3C **16**
Quartremaine Rd. Ports —2D **38**
Quartremaine Rd. Ind. Est. Ports
—3D **38**
Quay La. Gos —3G **45**
Quay La. H'way —4H **35**
Quay Side Commerce Cen. Fare
—3B **22**
Quay St. Fare —3C **22**
(in two parts)
Queen Anne's Dri. Hav —1C **28**
Queen Mary Rd. Fare —4B **24**
Queen Rd. Fare —5H **21**
Queens Clo. Lee S —1C **42**
Queens Cres. Fare —2F **33**
Queens Cres. Horn —6B **2**
Queen's Cres. S'sea —4C **46**
Queen's Gro. S'sea —5C **46**
Queens Gro. Water —4F **15**
Queen's Mall, The. Ports —2C **46**
Queen's Pde. Gos —3A **44**
Queens Pde. Water —2G **15**
Queen's Pl. S'sea —4C **46**
Queen's Rd. Fare —2B **22**
Queen's Rd. Gos —2E **45**
Queen's Rd. Navy —1H **45**
Queens Rd. Lee S —3D **42**
Queen's Rd. Ports —5A **38**
Queen's Rd. Water —5G **5**
Queen's Ter. S'sea —4C **46**
Queen St. Ems —3E **31**
Queen St. Ports —2A **46**
Queensway. Hay I —2C **40**
Queen's Way. S'sea —4C **46**
Queensway, The. Fare —3H **23**
Quinton Clo. S'sea —3D **46**
Quintrell Av. Fare —3G **23**

Racecourse La. Ports —3F **25**
Racton Av. Ports —3D **26**
Racton Rd. Ems —6D **18**
Radclyffe Rd. Fare —1C **22**
Radnor St. S'sea —3C **46**
Raglan St. S'sea —2D **46**
Rails La. Hay I —4D **50**
Railway Triangle Ind. Est. Cosh
—5D **26**
Railway View. Ports —2D **46**
Raleigh Wlk. Gos —1H **43**
Ramblers Way. Water —6B **6**
Ramillies Ho. Fare —4G **21**
Rampart Gdns. Ports —6B **26**
Rampart Row. Gos —3G **45**
(in two parts)
Ramsay Pl. Gos —3C **34**
Ramsdale Av. Fare —4C **16**
Ramsey Rd. Hay I —5D **50**
Randolph Rd. Ports —2A **38**
Ranelagh Rd. Hav —2D **28**
Ranelagh Rd. Ports —4G **37**
Range Grn. Ports —2G **37**

Rannoch Clo. Fare —6G **9**
Ransome Clo. Fare —4B **20**
Ranvilles La. Fare —3D **20**
Rapson Clo. Ports —2G **25**
Ratsey La. Ports —1E **47**
Ravens Clo. Fare —3F **33**
Ravenswood Gdns. S'sea
—5D **46**
Rawlinson Ter. Ports —1B **46**
Raymond Rd. Ports —2C **24**
Raynes Rd. Lee S —3D **42**
Record Rd. Ems —2C **30**
Rectory Av. Ports —2H **27**
Rectory Clo. Fare —2E **33**
Rectory Clo. Gos —5C **44**
Rectory Rd. Hav —3F **29**
Redan, The. Gos —6E **45**
Red Barn Av. Fare —2A **24**
Red Barn La. Fare —5G **9**
Redbridge Gro. Hav —6D **16**
Redcar Av. Ports —4C **38**
Redcliffe Gdns. S'sea —6E **47**
Redhill Rd. Row C —6H **7**
Redhouse Pk. Gdns. Gos —6E **35**
Redlands Gro. S'sea —3A **48**
Redlands Rd. Ems —5D **18**
(in two parts)
Redlands La. Fare —2H **21**
Redlynch Clo. Hav —5H **17**
Redoubt La. Fare —5H **21**
Redshank Rd. Water —6A **2**
Redwing Ct. S'sea —2A **48**
Redwing Rd. Water —1C **2**
Redwood Ct. Water —1G **15**
Redwood Dri. Fare —3H **23**
Redwood Gro. Hav —5G **17**
Redwood Lodge. Fare —1B **22**
Reedmace Clo. Water —2A **16**
Reed's Pl. Gos —2C **44**
Reeds Rd. Gos —6H **35**
Regal Clo. Ports —3B **26**
Regency Gdns. Water —3F **15**
Regent Ct. Ports —6H **37**
Regent Pl. S'sea —4B **46**
Regents Ct. Hav —2F **29**
Regent St. Ports —6G **37**
Reginald Rd. S'sea —4G **47**
Relay Rd. Water —1F **15**
Renny Rd. Ports —2E **47**
Renown Gdns. Water —2H **5**
Repton Clo. Gos —3A **44**
Rest-a-Wyle Av. Hay I —2C **50**
Retreat, The. S'sea —4C **46**
Revenge Clo. S'sea —1A **48**
Reynolds Rd. Gos —5E **45**
Rhinefield Clo. Hav —5C **16**
Richard Gro. Gos —4G **35**
Richmond Clo. Hay I —3H **49**
Richmond Dri. Hay I —3H **49**
Richmond Pl. Ports —2B **46**
Richmond Pl. S'sea —5C **46**
Richmond Rise. Fare —2A **24**
Richmond Rd. Gos —3C **44**
Richmond Rd. Lee S —1B **42**
Richmond Rd. S'sea —5D **46**
Riders Gdns. Hav —4E **17**
Riders La. Hav —5E **17**
(in two parts)
Ridge Clo. Water —1C **2**
Ridgeway. Hav —2D **28**
Ridgeway Clo. Ports —2D **24**
Ridgeway, The. Fare —2E **23**
Ridings, The. Ports —1B **38**
Rimington Rd. Water —4G **5**
Ringwood Ho. Hav —4F **17**
Ringwood Rd. S'sea —4H **47**
Ripley Gro. Ports —5C **38**

Ripon Ct. Gos —2H 43
(off Gazelle Clo.)
Ripon Gdns. Water —6B **6**
Rise, The. Water —1F **27**
Ritchie Clo. Hay I —4C **50**
Riverdale Av. Water —2A **16**
Riverhead Clo. S'sea —2H **47**
River La. Fare —3E **9**
Riverside Av. Fare —6D **10**
Riverside Gdns. Hav —1F **29**
Riverside Ter. Fare —1C **22**
Rivers St. S'sea —3D **46**
River St. Ems —5F **19**
River Way. Hav —6G **17**
Roads Hill. Water —4A **2**
Road View. Ports —5G **37**
Robert Mack Ct. Ports —2B **46**
Roberts Clo. Wick —1B **10**
Roberts Rd. Gos —1B **44**
Robina Clo. Water —2A **16**
Robin Gdns. Water —3F **5**
Robins Clo. Fare —2E **33**
Robinson Ct. Fare —2A **24**
Robinson Rd. Fare —4D **32**
Robinson Way. Ports —2E **39**
Rochester Ct. Gos —1H **43**
Rochester Rd. S'sea —4F **47**
Rochford Rd. Ports —3H **25**
Rockbourne Clo. Hav —5C **16**
Rockingham Way. Fare —3H **23**
Rockville Dri. Water —2G **15**
Rodney Clo. Gos —6C **34**
Rodney Rd. S'sea —2F **47**
Rodney Way. Water —1B **6**
Roebuck Clo. Ports —4B **26**
Rogate Gdns. Fare —2A **24**
Rogers Clo. Gos —1D **44**
Rogers Mead. Hay I —3B **40**
Roland Clo. Water —1B **6**
Roman Gro. Fare —5B **24**
Roman Way. Hav —1C **28**
Romsey Av. Fare —3F **23**
Romsey Av. Ports —1H **47**
Romsey Rd. Water —3C **2**
Rookery, The. Ems —2E **31**
Rookes Clo. Water —1B **6**
Rooksbury Croft. Hav —4G **17**
Rooksway Gro. Fare —3F **23**
Rookwood View. Water —2B **4**
Ropley Rd. Hav —4H **17**
Rosebay Ct. Water —4H **15**
Rosebery Av. Ports —4C **26**
Rosecott. Horn —6D **2**
Rosedale Clo. Fare —3B **20**
Rosehill. Water —1A **6**
Roselands. Water —2A **6**
Rosemary La. Ports —2A **46**
Rosemary Wlk. Lee S —1D **42**
Rosemary Way. Cowp —3B **6**
Rosery, The. Gos —6D **44**
Rosetta Rd. S'sea —3H **47**
Rosewood. Gos —4E **35**
Rosewood Gdns. Water —2G **3**
Rosina Clo. Water —1B **16**
Ross Way. Lee S —6H **33**
Rostrevor La. S'sea —6E **47**
Rotherwick Clo. Hav —4H **17**
Rothesay Rd. Gos —6G **35**
Rothwell Clo. Ports —2E **25**
Roundhouse Meadow. Ems
—4E **31**
Roundway. Water —1H **15**
Rowallan Av. Gos —5C **34**
Rowan Av. Water —5B **6**
Rowan Clo. Lee S —2D **42**
Rowan Ct. S'sea —3F **47**
Rowan Rd. Hav —6H **17**

Rowan Way. Fare —3D **20**
Rowbury Rd. Hav —3D **16**
Rowe's All. Ports —3H **45**
Rowin Clo. Hay I —5F **51**
Rowland Rd. Fare —1H **21**
Rowland Rd. Ports —2C **24**
Rowlands Av. Water —6G **5**
Rowlands Castle Rd. Horn —1D **6**
Rowner Clo. Gos —4C **34**
Rowner La. Gos —3C **34**
Rowner Rd. Gos —3A **34**
Rowner Wlk. Gos —5C **34**
(in two parts)
Rownhams Rd. Hav —4D **16**
Row Wood La. Gos —4B **34**
Royal Albert Wlk. S'sea —5E **47**
Royal Gdns. Row C —6G **7**
Royal Ga. S'sea —5H **47**
Royal Sovereign Av. Fare
—6A **22**
Royal Way. Water —2A **16**
Rudgwick Clo. Fare —3G **23**
Rudmore Pas. Ports —5G **37**
Rudmore Rd. Ports —5G **37**
Rudmore Roundabout. Ports
—5H **37**
Rudmore Sq. Ports —5G **37**
Rugby Rd. S'sea —3E **47**
Runnymede. Fare —5F **9**
Rushmere Wlk. Hav —3D **16**
Ruskin Rd. S'sea —3G **47**
Ruskin Way. Water —3H **5**
Russell Clo. Lee S —1D **42**
Russell Pl. Fare —2B **22**
Russell Rd. Hav —6F **17**
Russell Rd. Lee S —2D **42**
Russell St. Gos —1C **44**
Rydal Clo. Ports —2F **25**
Rydal Rd. Gos —5G **35**
Ryde Pl. Lee S —3E **43**
Ryecroft. Hav —2H **29**

Sackville St. S'sea —3C **46**
(in two parts)
Sage Clo. Water —3A **16**
St Albans Ct. Gos —2H **43**
St Alban's Rd. Hav —5G **17**
St Albans Rd. S'sea —4F **47**
St Andrew Clo. Water —3C **2**
St Andrew's Rd. Farl —3H **27**
St Andrew's Rd. Gos —3D **44**
St Andrew's Rd. Hay I —5D **50**
St Andrew's Rd. S'sea —4D **46**
St Anne's Gro. Fare —4H **21**
St Ann's Cres. Gos —1C **44**
St Ann's Rd. Horn —6C **2**
St Ann's Rd. Ports —4F **47**
St Aubin's Pk. Hay I —4H **49**
St Augustine Rd. S'sea —4F **47**
St Barbara Way. Ports —1B **38**
St Bartholomew's Gdns. S'sea
—4D **46**
St Catherine's Rd. Hay I —4G **49**
St Catherine St. S'sea —6D **46**
St Catherines Way. Fare —2E **23**
St Chad's Av. Ports —3A **38**
St Christopher Av. Fare —6B **10**
St Christopher's Gdns. Gos
—3C **34**
St Christophers Rd. Hav —5C **16**
St Clares Av. Hav —2D **16**
St Colman's Av. Ports —3C **26**
St Davids Ct. Gos —1G **43**
St David's Rd. Clan —2G **3**
St David's S'sea —3D **46**
St Denys Wlk. Hav —3D **16**

St Edmondsbury Ct. Gos —2H **43**
(off Anson Clo.)
St Edward's Rd. Gos —3D **44**
St Edwards Rd. S'sea —4C **46**
St Edwards Ter. Gos —1C **44**
St Faith's Clo. Gos —2C **44**
St Faith's Rd. Ports —1D **46**
St Francis Pl. Hav —6E **17**
St Francis Rd. Gos —6E **45**
St Georges Av. Hav —2H **29**
St Georges Bus. Cen. Ports
—2A **46**
St George's Ct. Fare —3B **22**
St George's Ind. Cen. S'sea
—2G **47**
St Georges Rd. Cosh —3B **26**
St George's Rd. Hay I —4H **49**
St George's Rd. Ports —3A **46**
St George's Rd. S'sea —5G **47**
St George's Sq. Ports —2A **46**
St George's Way. Ports —2A **46**
St Giles Way. Water —3C **2**
St Helena Way. Fare —3A **24**
St Helen's Clo. S'sea —5F **47**
St Helens Ho. Fare —3E **21**
St Helen's Pde. S'sea —6E **47**
St Helen's Pk. Cres. S'sea —6E **47**
St Helens Rd. Gos —4A **44**
St Helen's Rd. Hay I —4H **49**
St Helen's Rd. Ports —3F **27**
St Herman's Caravan Est. Hay I
—5E **51**
St Herman's Rd. Hay I —5E **51**
St Hilda Av. Water —3C **2**
St Hubert Rd. Water —3C **2**
St James Clo. Water —1C **2**
St James' Rd. Ems —2D **30**
St James's Rd. S'sea —3C **46**
St James's St. Ports —2B **46**
St James Way. Fare —3A **24**
St John's Av. Water —5G **15**
St John's Clo. Gos —2D **44**
St John's Rd. Cosh —3B **26**
St John's Rd. Ems —2H **31**
St John's Rd. Hav —5C **16**
St John's Sq. Gos —2D **44**
St Judes Clo. S'sea —5C **46**
St Leonard's Av. Hay I —3C **50**
St Leonards Clo. Fare —6A **8**
St Luke's Rd. Gos —6C **44**
St Margarets La. Fare —2A **20**
St Margaret's Rd. Hay I —4C **50**
St Mark's Clo. Gos —6C **44**
St Mark's Pl. Gos —5D **44**
St Mark's Rd. Gos —6C **44**
St Mark's Rd. Ports —4H **37**
St Mary's Av. Gos —5C **44**
St Mary's Ho. Ports —1F **47**
St Mary's Rd. Fare —1E **33**
St Mary's Rd. Hay I —4B **50**
St Mary's Rd. Ports —1E **47**
St Matthew's Ct. Gos —2F **45**
St Matthew's Rd. Ports —3B **26**
St Michael's Gro. Fare —4H **21**
St Michael's Ho. Fare —3H **21**
St Michael's Rd. Hav —5C **16**
St Michael's Rd. Ports —3B **46**
St Michaels Way. Water —3C **2**
St Nicholas Av. Gos —6C **34**
St Nicholas Rd. Hav —6C **16**
St Nicholas Row. Wick —2B **10**
St Nicholas St. Ports —4A **46**
St Paul's Rd. S'sea —3B **46**
St Paul's Sq. Ports —3B **46**
St Peter's Av. Hay I —3E **41**
St Peters Gro. S'sea —4D **46**

St Peter's Rd. Hay I —1E **41**
St Peter's Sq. Ems —3D **30**
St Piran's Av. Ports —6C **38**
St Ronan's Av. S'sea —5E **47**
St Ronan's Rd. S'sea —5E **47**
St Sebastian Cres. Fare —6B **10**
St Simon's Rd. S'sea —5D **46**
St Stephen's Rd. Ports —5A **38**
St Swithun's Rd. Ports —3B **38**
St Theresa's Clo. Hav —6C **16**
St Thomas Av. Hay I —4H **49**
St Thomas Clo. Fare —6C **10**
St Thomas's Ct. Ports —3A **46**
St Thomas's Rd. Gos —5H **35**
St Thomas's St. Ports —4A **46**
St Ursula Gro. S'sea —4D **46**
St Valerie Rd. Gos —4D **44**
St Vincent Cres. Water —1B **6**
St Vincent Rd. Gos —1D **44**
St Vincent Rd. S'sea —5D **46**
St Vincent St. S'sea —3C **46**
Salcombe Av. Ports —4C **38**
Salerno Dri. Gos —3B **44**
Salerno Ho. Fare —4H **21**
Salerno Rd. Ports —1H **37**
Salet Way. Water —6B **6**
Salisbury Rd. Cosh —4C **26**
Salisbury Rd. S'sea —5F **47**
Salisbury Ter. Lee S —2D **42**
Salterns Av. S'sea —2H **47**
Salterns Clo. Hay I —4E **51**
Salterns Est. Fare —4B **22**
Salterns La. Fare —4B **22**
Salterns La. Hay I —4D **50**
Saltern's Rd. Lee S & Fare
—5D **32**
Saltings, The. Hav —5F **29**
Saltings, The. Ports —4G **27**
Saltmarsh La. Hay I —2A **50**
Salt Meat La. Gos —1F **45**
Salvia Clo. Water —3A **16**
Sampson Rd. Fare —5H **21**
Sampson Rd. Ports —1H **45**
Samson Clo. Gos —6D **34**
Samuel Rd. Ports —1F **47**
Sandcroft Clo. Gos —4A **44**
Sanderling Rd. S'sea —2A **48**
Sanderlings, The. Hay I —5C **50**
Sandford Av. Gos —3H **43**
Sandhill La. Lee S —6A **34**
(in two parts)
San Diego Rd. Gos —1C **44**
Sandisplatt. Fare —3E **21**
Sandleford Rd. Hav —2D **16**
Sandlewood Clo. Water —2G **3**
Sandown Clo. Gos —4H **43**
Sandown Heights. Fare —3E **21**
Sandown Rd. Ports —4A **26**
Sandpiper Clo. Water —6A **2**
Sandpipers. Ports —4G **27**
Sandport Gro. Fare —4H **23**
Sandringham Ho. Water —4G **15**
Sandringham Rd. Fare —3D **20**
Sandringham Rd. Ports —2E **47**
Sandy Beach Est. Hay I —6H **51**
Sandy Brow. Water —5F **15**
Sandyfield Cres. Water —4G **5**
Sandy La. Fare —3B **20**
Sandy Point. Hay I —4H **51**
Sandy Point Rd. Hay I —6G **51**
Sanross Clo. Fare —4C **32**
Sapphire Ridge. Water —2A **16**
Saunders M. S'sea —5H **47**
Savage Clo. Gos —1H **43**
Savernake Clo. Gos —3D **34**
Saville Clo. Gos —4B **44**
Saville Gdns. Fare —6A **10**

Saxley Ct. Hav —3C **16**
Saxon Clo. Fare —2H **23**
Saxon Clo. Water —2C **2**
Scafell Av. Fare —3F **21**
Scholars Wlk. Ports —4E **27**
School La. Den —2A **4**
School La. Ems —3D **30**
School La. Ports —6H **37**
School La. W'brne —4F **19**
School Rd. Gos —4F **35**
School Rd. Hav —2E **29**
Schooner Way. S'sea —1A **48**
Scimitars, The. Fare —2D **32**
Scotney Ct. Hav —3H **17**
Scott Clo. Fare —1E **33**
Scott Ho. Ports —3G **37**
Scott Rd. Hils —6B **26**
Scott Rd. Navy —1H **45**
Scott Rd. Ports —3A **46**
Scotts App. Ports —4F **37**
Scratchface La. Hav —1B **28**
Scratchface La. Water —5H **15**
(in three parts)
Seabird Way. Fare —4B **22**
Sea Crest Rd. Lee S —2D **42**
Seafarers Wlk. Hay I —6H **51**
Seafield Pk. Rd. Fare —4D **32**
Seafield Rd. Fare —4H **23**
Seafield Rd. Ports —4G **35**
Seafields. Ems —3C **30**
Seafield Ter. Gos —4E **45**
Sea Front. Hay I —4G **49**
Sea Front Est. Hay I —5D **50**
Seagers Ct. Ports —4H **45**
Sea Gro. Av. Hay I —5C **50**
Seagrove Rd. Ports —4H **37**
Seagull Clo. S'sea —1A **48**
Seagull La. Ems —2D **30**
(in two parts)
Seagulls, The. Lee S —3E **43**
Seahorse Wlk. Gos —2F **45**
Sea Kings. Fare —3D **32**
(in two parts)
Sea La. Fare —5E **33**
Seamead. Fare —5E **33**
Seamill Gdns. Ports —2A **46**
Seaton Av. Ports —5C **38**
Seaton Clo. Fare —3E **33**
Seaview Av. Fare —2C **24**
Seaview Ct. Gos —4H **43**
Seaview Ct. Lee S —2D **42**
Sea View Rd. Hay I —4E **51**
Sea View Rd. Ports —2E **27**
Seaward Tower. Gos —4F **45**
Seaway Cres. S'sea —3B **48**
Seaway Gro. Fare —5A **24**
Sebastian Gro. Water —1A **16**
Second Av. Cosh —3A **26**
Second Av. Ems —3H **31**
Second Av. Hav —1H **29**
Second Av. Ports —3G **27**
Sedgefield Clo. Ports —3D **24**
Sedgeley Clo. S'sea —3D **46**
Sedgeley Gro. Gos —5G **35**
Sedgewick Clo. Gos —5C **34**
Segensworth E. Ind. Est. Seg E
(in two parts)   —4A **8**
Segensworth Rd. Fare —5A **8**
Selangor Av. Ems —2A **30**
Selborne Av. Hav —4D **16**
Selborne Gdns. Gos —3B **44**
Selbourne Rd. Hav —2E **29**
Selbourne Ter. Ports —2E **47**
Selsey Av. Gos —5G **35**
Selsey Av. S'sea —5G **47**
Selsey Clo. Hay I —5H **51**
Selsmore Av. Hay I —5E **51**

Selsmore Rd. Hay I —4C **50**
Sennen Pl. Cosh —4E **25**
Sentinel Clo. Water —6B **6**
Sephton Clo. Gos —1H **43**
Serpentine Rd. Fare —6B **10**
Serpentine Rd. S'sea —5C **46**
(in two parts)
Serpentine Rd. Wid —5E **15**
Service Rd. Ports —3H **25**
Settlers Clo. Ports —1D **46**
Sevenoaks Rd. Ports —3A **26**
Severn Clo. Fare —3G **23**
Severn Clo. Ports —2F **25**
(in two parts)
Sewell Cres. Ports —1D **38**
Seymour Clo. Ports —6H **37**
Seymour Rd. Lee S —3D **42**
Shackleton Rd. Gos —5D **34**
Shadwell Ct. Ports —3G **37**
Shadwell Rd. Ports —3H **37**
Shaftesbury Av. Water —5F **15**
Shaftesbury Rd. Gos —3E **45**
(in two parts)
Shaftesbury Rd. S'sea —5C **46**
*Shakespeare M. Titch —3C **20***
(off East St.)
Shakespeare Rd. Ports —1E **47**
Shalbourne Rd. Gos —6G **35**
Shaldon Rd. Hav —3H **17**
Shamrock Clo. Gos —3F **45**
Shamrock Enterprise Cen. Gos
—4F **35**
Shanklin Pl. Fare —3E **21**
Shanklin Rd. S'sea —3E **47**
Shannon Clo. Fare —1F **21**
Shannon Rd. Fare —6A **22**
Shannon Rd. Stub —1D **32**
Sharpness Clo. Fare —3E **21**
Sharps Clo. Ports —2D **38**
Sharps Rd. Hav —4H **17**
Shawcross Ind. Pk. Ports —6C **26**
Shawfield Rd. Hav —2G **29**
Shawford Gro. Hav —4C **17**
Shearer Rd. Ports —6A **38**
Shearwater Av. Fare —2E **23**
Shearwater Clo. Gos —3B **34**
Shearwater Dri. Ports —4H **27**
Sheepwash La. Water —6A **4**
Sheepwash Rd. Cowp —4C **6**
Sheepwash Rd. Horn —1D **6**
Sheffield Ct. Gos —1G **43**
Sheffield Rd. Ports —2E **47**
Shelford Rd. S'sea —2H **47**
Shelley Av. Ports —2C **24**
Shelley Gdns. Water —4G **5**
Shenley Clo. Fare —1E **21**
Shepards Clo. Fare —3E **21**
Shepheard's Way. Gos —5E **45**
Sheppard Clo. Water —1A **6**
Sherfield Av. Hav —4G **17**
Sheringham Rd. Ports —2H **25**
Sherwin Wlk. Gos —5C **44**
Sherwood Rd. Gos —3C **44**
Shetland Clo. Ports —2B **26**
Shillinglee. Water —5G **15**
Ship Leopard St. Ports —2A **46**
Shipton Grn. Hav —3D **16**
Shire Clo. Water —6B **6**
Shirley Av. S'sea —3A **48**
Shirley Rd. S'sea —5E **47**
Shirrel Ct. Gos —4H **43**
Sholing Ct. Hav —3D **16**
Shoot La. Lee S —5H **33**
Shore Av. S'sea —1H **47**
Shorehaven. Ports —3D **24**
Short Rd. Fare —3C **32**

Short Row. Navy —1A **46**
Shrubbery Clo. Fare —4A **24**
Shrubbery, The. Gos —6F **35**
Sibland Clo. Fare —3F **21**
Sidlesham Clo. Hay I —5H **51**
Sidmouth Av. Ports —5C **38**
Silchester Rd. Ports —6D **38**
Silkstead Av. Hav —3F **17**
Silver Birch Av. Fare —3G **21**
Silverdale Dri. Water —5E **5**
Silverlock Clo. Ports —5H **37**
Silver Sands Gdns. Hay I
　　　　　　　　　—5D **50**
Silver St. S'sea —4B **46**
Silverthorne Way. Water —1F **15**
Silvertrees. Ems —1D **30**
Silvester Rd. Water —4G **5**
Simbang Rd. Gos —1A **44**
Simmons Grn. Hay I —4D **50**
Simpson Clo. Fare —2A **24**
Simpson Rd. Cosh —2B **26**
Simpson Rd. Ports —4G **37**
Sinah La. Hay I —4G **49**
Sinah Warren Holiday Village.
　　　　　　Hay I —3F **49**
Singleton Gdns. Water —1D **2**
Siskin Gro. Water —3A **16**
Siskin Rd. Gos —1A **44**
Sissinghurst Rd. Fare —4G **23**
Sixth Av. Ports —3A **26**
Skew Rd. Fare —1A **24**
Skipper Way. Lee S —1D **42**
Slindon Clo. Water —1D **2**
Slindon Gdns. Hav —2F **29**
Slindon St. Ports —2C **46**
Slingsby Clo. Ports —4B **46**
Slipper Caravan Site. Ems —3E **31**
Slipper Rd. Ems —3E **31**
Smallcutts Av. Ems —2H **31**
Smeaton St. Ports —3G **37**
Smeeton Rd. Lee S —1D **42**
Smith St. Gos —2C **44**
Smith View. S'sea —4C **46**
Smithy, The. Water —3A **4**
Snape Clo. Gos —5C **34**
Snowdon Dri. Fare —3G **21**
Soake Rd. Water —4D **4**
Soberton Rd. Hav —5E **17**
Soldridge Clo. Hav —3A **18**
Solent Bus. Pk. White —2A **8**
Solent Cen. White —2A **8**
Solent Heights. Lee S —2C **42**
Solent Heights. S'sea —4B **48**
Solent Ho. Fare —4A **22**
Solent Ho. Hav —5G **17**
Solent Rd. Fare —4C **32**
Solent Rd. Hav —2D **28**
Solent Rd. Ports —3E **27**
Solent View. Fare —2C **24**
Solent Village. White —3A **8**
Solent Way. Gos —4A **44**
Somborne Dri. Hav —4F **17**
Somerset Rd. S'sea —6D **46**
Somers Rd. S'sea —3C **46**
　(in two parts)
Somers Rd. N. Ports —2E **47**
Somervell Clo. Gos —5C **44**
Somervell Dri. Fare —6H **9**
Somerville Pl. Ports —3G **37**
Sonnet Way. Water —6B **6**
Sopley Ct. Hav —3H **17**
Sorrell Clo. Water —3A **16**
Southampton Hill. Fare —2B **20**
Southampton Ho. Hav —4G **17**
Southampton Rd. Fare —1B **22**
Southampton Rd. Ports —3C **24**
Southampton Rd. Titch —6A **8**

Southampton Rd. Ind. Est. Ports
　　　　　　　　　—3C **24**
Southampton Row. Ports —2A **46**
South Av. Ports —1A **38**
Southbourne Av. Ems —3F **31**
Southbourne Av. Ports —3D **26**
Southbrook Clo. Hav —3F **29**
Southbrook Rd. Hav —4F **29**
Southcliff Clo. Lee S —6G **33**
South Clo. Gos —5B **44**
South Clo. Hav —3G **29**
Southcroft Rd. Gos —2B **44**
S. Cross St. Gos —3F **45**
Southdown Rd. Cath —3B **2**
　(in three parts)
Southdown Rd. Cosh —3C **26**
Southdown View. Water —5E **5**
Southfield Wlk. Hav —2C **16**
South La. Clan —2F **3**
South La. S'brne —1H **31**
South La. Water —4G **3**
South La. W'brne —6H **19**
Southleigh Gro. Hay I —3B **50**
Southleigh Rd. Hav & Ems
　　　　　　　　　—2H **29**
South Link. Ports —1C **46**
South Lodge. Fare —2D **20**
Southmead Rd. Fare —2F **21**
Southmoor La. Hav —3D **28**
S. Normandy. Ports —3A **46**
South Pde. S'sea —6D **46**
South Path. Gos —2H **43**
South Pl. Lee S —3E **43**
South Rd. Cosh —4E **27**
South Rd. Hay I —4B **50**
South Rd. Horn —4C **2**
South Rd. Ports —6A **38**
South Rd. S'wick —3E **13**
Southsea Caravan Pk. S'sea
　　　　　　　　　—5B **48**
Southsea Esplanade. S'sea
　　　　　　　　　—6F **47**
Southsea Ter. S'sea —4B **46**
Southsea Works Ind. Est. S'sea
　　　　　　　　　—2G **47**
South St. Ems —3D **30**
South St. Gos —4D **46**
South St. Hav —3F **29**
South St. S'sea —4C **46**
South St. Titch —3B **20**
South Ter. Ports —2A **46**
South View. Cowp —3A **6**
Southway. Gos —2C **34**
Southway. Titch —6A **8**
Southways. Stub —3F **33**
Southwick Av. Fare —2C **24**
Southwick By-Pass. S'wick
　　　　　　　　　—3B **12**
Southwick Ct. Fare —5A **22**
Southwick Hill Rd. Cosh —1G **25**
Southwick Rd. Den —3A **4**
Southwick Rd. S'wick —4D **12**
Southwood Rd. Hay I —5E **51**
Southwood Rd. Ports —1A **38**
Sovereign Clo. S'sea —2B **48**
Sovereign Dri. S'sea —2A **48**
Sovereign La. Water —6G **15**
Sparrow Clo. Water —3H **5**
Sparrow Ct. Lee S —6H **33**
Sparsholt Clo. Hav —4C **16**
Spartan Clo. Fare —6F **21**
Specks La. S'sea —2G **47**
Speedfield Pk. Retail Pk. Fare
　　　　　　　　　—6B **22**
Spencer Clo. Hay I —4C **50**
Spencer Ct. Fare —3G **33**
Spencer Dri. Lee S —2D **42**

Spencer Gdns. Water —3G **5**
Spencer Rd. Ems —5C **18**
Spencer Rd. S'sea —5F **47**
Spenlow Clo. Ports —5H **37**
Spicefield. Fare —1G **21**
Spicer St. Ports —1C **46**
Spicewood. Fare —1G **21**
Spindle Clo. Hav —6A **18**
Spindle Warren. Hav —6A **18**
Spinnaker Clo. Hay I —3A **50**
Spinnaker Grange. Hay I —1E **41**
Spinnaker View. Hav —2A **28**
Spinney Clo. Water —3G **5**
Spinney, The. Den —4B **4**
Spinney, The. Fare —2F **23**
Spinney, The. Gos —4D **34**
Spinney, The. Water —1A **6**
Spithead Av. Gos —6E **45**
Spithead Heights. S'sea —4C **48**
Spithead Ho. Fare —4A **22**
Spring Ct. Lee S —2D **42**
Springcroft. Gos —6B **22**
Springfield Clo. Hav —1B **28**
Springfield Way. Fare —4E **33**
Spring Garden La. Gos —2E **45**
Spring Gdns. Ems —3D **30**
Spring Gdns. Ports —2C **46**
Springles La. Fare —4B **8**
Spring St. Ports —2C **46**
Spring, The. Water —4B **4**
Spring Vale. Water —3B **6**
Springwood Av. Water —3H **15**
Spruce Av. Water —2A **16**
Spruce Wlk. Lee S —1D **42**
Spurlings Rd. Fare —5D **10**
Spur Rd. Cosh —3B **26**
Spur Rd. Water —2G **15**
Spur, The. Gos —5B **44**
Spur, The. Wick —1B **10**
Square, The. Gos —5A **36**
Square, The. Titch —3C **20**
Square, The. W'brne —6F **19**
Square, The. Wick —2B **10**
　(in two parts)
Stable Clo. Fare —1A **20**
Stacey Ct. Hav —2D **16**
Stafford Rd. S'sea —4D **46**
Staffwise Bus. Cen. Cosh —4B **26**
Stagshorn Rd. Water —6C **2**
Stakes Hill Rd. Water —2G **15**
Stakes Rd. Water —4E **15**
Stamford Av. Hay I —4A **50**
Stamford St. Ports —1E **47**
Stamshaw Path. Ports —3G **37**
Stamshaw Promenade. Ports
　　　　　　　　　—1H **37**
Stamshaw Rd. Ports —3H **37**
Stanbridge Rd. Hav —6H **17**
Standard Way. Fare —6C **10**
Stanford Clo. Ports —3H **25**
Stanford Ct. Hav —4H **17**
Stanhope Rd. Ports —2C **46**
Stanley Av. Ports —5D **38**
Stanley Clo. Fare —1G **21**
Stanley Clo. Gos —4G **35**
Stanley La. S'sea —5C **46**
Stanley Rd. Ems —3E **31**
Stanley Rd. Ports —4G **37**
Stanley St. S'sea —5C **46**
Stansted Clo. Row C —5H **7**
Stansted Cres. Hav —1H **17**
Stansted Rd. S'sea —3D **46**
Stanswood Rd. Hav —3D **16**
Staple Clo. Water —6F **5**
Staplers Reach. Gos —3B **34**
Stapleton Rd. Ports —5C **38**
Stares Clo. Gos —6C **34**

Starina Gdns. Water —6B **6**
Starling Way. Lee S —6H **33**
Station App. Ems —2D **30**
Station App. Fare —2A **22**
Station App. Ports —2A **46**
Station Clo. Wick —1B **10**
Station Rd. Dray —5E **27**
Station Rd. Gos —6F **35**
Station Rd. Hay I —3H **49**
Station Rd. Portc —3B **24**
Station Rd. Ports —5C **38**
Station Rd. Wick —1B **10**
Station St. Ports —2C **46**
Staunton Av. Hay I —4H **49**
Staunton Rd. Hav —1E **29**
Staunton St. Ports —1C **46**
Stead Clo. Hay I —4D **50**
Steel St. S'sea —4B **46**
Steep Clo. Fare —2A **24**
Steerforth Clo. Ports —5H **37**
Stein Rd. Ems —1H **31**
Stephen Clo. Water —5B **6**
Stephen Rd. Fare —2H **21**
Stephenson Clo. Gos —5C **44**
Stewart Pl. Ports —6A **38**
Stirling Av. Water —2H **15**
Stirling Ct. Fare —6G **9**
Stirling St. Ports —5H **37**
Stockbridge Clo. Hav —4H **17**
Stocker Pl. Gos —4D **34**
Stockheath La. Hav —1E **29**
Stockheath Rd. Hav —5E **17**
Stockheath Way. Hav —6F **17**
Stoke Gdns. Gos —3E **45**
Stoke Rd. Gos —3D **44**
Stokes Bay Rd. Gos —5H **43**
Stokeway. Gos —3E **45**
Stonechat Rd. Water —1A **6**
Stone La. Gos —3D **44**
　(in two parts)
Stoneleigh Clo. Fare —3H **23**
Stoners Clo. Gos —2B **34**
Stone Sq. Hav —5F **17**
Stone St. S'sea —4B **46**
Stony La. Ports —1H **45**
Storrington Rd. Water —2H **3**
Stowe Rd. Water —3A **48**
Stow Est. Fare —1F **21**
Stradbrook. Gos —4B **34**
Strand, The. Hay I —6E **51**
Strand, The. S'sea —6D **46**
Stratfield Gdns. Hav —2D **16**
Stratfield Pk. Water —1E **15**
Stratford Rd. Water —1A **16**
Strathmore Rd. Gos —3E **45**
Stratton Clo. Ports —3G **25**
Stride Av. Ports —1G **47**
Strode Rd. Ports —3G **37**
Strouden Ct. Hav —2D **16**
Stroud Grn. La. Fare —6F **21**
Stroudley Av. Ports —5E **27**
Stroudwood Rd. Hav —6F **17**
Stuart Clo. Fare —3E **33**
Stubbington Av. Ports —4A **38**
Stubbington Grn. Fare —2E **33**
Stubbington La. Stub —2F **33**
Studland Rd. Lee S —1C **42**
Sudbury Rd. Ports —3H **25**
Suffolk Cotts. Gos —4D **44**
Suffolk Rd. S'sea —4H **47**
Sullivan Way. Water —4G **15**
Sultan Rd. Ems —2D **30**
Sultan Rd. Ports —6G **37**
Sumar Clo. Fare —6F **21**
Summerhill Rd. Water —4A **6**
Summerlands Wlk. Hav —4H **17**
Sunbeam Way. Gos —4D **44**

Sunbury Ct. Fare —5G **9**
Suncourt Vs. Gos —5F **35**
Sunderton La. Water —2G **3**
Sundridge Clo. Ports —3A **26**
Sunningdale Clo. Gos —4C **34**
Sunningdale Rd. Fare —4B **24**
Sunningdale Rd. Ports —1G **47**
Sunnyheath. Hav —5E **17**
Sunnymead Dri. Water —5E **5**
Sunnyside Wlk. Hav —2D **16**
Sunny Wlk. Ports —2H **45**
Sun St. Ports —2A **46**
Sunwood Rd. Hav —4D **16**
Surrey St. Ports —2C **46**
Sussex Pl. Ports —1C **46**
Sussex Pl. S'sea —4C **46**
Sussex Rd. S'sea —4C **46**
Sussex Ter. S'sea —4C **46**
Sutherland Rd. S'sea —4E **47**
Sutton Clo. Cowp —4F **5**
Sutton Clo. Ports —1D **38**
Sutton Rd. Water —4F **5**
Swallow Clo. Hav —6H **17**
Swallow Ct. Lee S —6H **33**
Swallow Wood. Fare —5B **10**
Swanage Rd. Lee S —1C **42**
Swan Clo. Ems —3E **31**
Swancote. Fare —3F **23**
Swanmore Rd. Hav —2D **16**
Swarraton Rd. Hav —6G **17**
Sway Ct. Hav —4H **17**
Swaything Rd. Hav —3D **16**
Sweetbriar Gdns. Water —4H **15**
Swift Clo. Lee S —6H **33**
Swift Clo. Water —6A **2**
Swinburn Gdns. Water —3H **5**
Swiss Rd. Water —2G **15**
Swivelton La. Fare —5F **11**
Sword Clo. Gos —5A **44**
Swordsands Path. Ports —6E **39**
Swordsands Rd. Ports —6E **39**
Sycamore Clo. Clan —2H **3**
Sycamore Clo. Gos —4E **35**
Sycamore Clo. Water —4G **5**
Sycamore Dri. Hay I —3B **50**
Sydenham Ter. Ports —2E **47**
Sydmonton Ct. Hav —3H **17**
Sydney Rd. Gos —3D **44**
Sylvan View. Water —3H **15**

Tagdell La. Horn —6A **2**
Tait Pl. Gos —4D **34**
Talbot Clo. Hav —6D **16**
Talbot Rd. Hav —6D **16**
Talbot Rd. S'sea —4E **47**
Tamar Clo. Fare —2G **23**
Tamar Down. Water —2A **16**
Tamarisk Clo. Fare —4E **33**
Tamarisk Clo. S'sea —4A **48**
Tamarisk Clo. Water —3A **16**
Tammy's Turn. Fare —3D **20**
Tamworth Pl. Gos —4D **44**
Tamworth Rd. Ports —1G **47**
Tanfield La. Wick —2A **10**
Tanfield Pk. Wick —2B **10**
Tangier Rd. Ports —6C **38**
Tanglewood. Fare —6A **10**
Tanglewood Clo. Water —5E **15**
Tangley Wlk. Hav —4H **17**
Tangyes Clo. Fare —2F **33**
Tankerton Clo. Ports —3A **26**
Tanneries, The. Fare —2E **29**
Tanner La. Fare —5G **21**
Tanner's La. Water —2B **4**
Tanner's Ridge. Water —6G **15**

Tansy Clo. Water —3A **16**
Tarberry Cres. Water —6C **2**
Target Rd. Ports —2G **37**
Tarius Clo. Gos —2D **34**
Tarleton Rd. Ports —2F **25**
Tarn Rise. Horn —3C **2**
Tarrant Gdns. Hav —6D **16**
Taswell Rd. S'sea —5D **46**
Tattershall Cres. Fare —4H **23**
Tavistock Gdns. Hav —2H **29**
Tawny Owl Clo. Fare —1D **32**
Taylor Rd. Gos —5E **45**
Teal Clo. Fare —3F **23**
Teal Clo. Hay I —4D **50**
Teal Path. S'sea —2H **47**
Teal Wlk. Gos —2B **34**
Tebourba Dri. Gos —4C **44**
Tebourba Ho. Fare —3G **21**
Tedder Rd. Gos —2D **34**
Teddington Rd. S'sea —4G **47**
Ted Kelly Ct. Ports —3A **46**
Teglease Grn. Hav —2D **16**
Teignmouth Rd. Gos —6F **35**
Teignmouth Rd. Ports —5C **38**
Telephone Rd. S'sea —3E **47**
Telford Rd. Ports —2A **38**
Tempest Av. Water —2A **16**
Templemere. Fare —4D **20**
Temple St. Ports —1C **46**
Templeton Clo. Ports —2A **38**
Tennyson Cres. Water —5F **5**
Tennyson Gdns. Fare —1A **22**
Tennyson Rd. Ports —5B **38**
Tensing Clo. Fare —6A **10**
Terminus Ind. Est. Ports —2C **46**
Tern Wlk. Gos —2B **34**
Tern Wlk. S'sea —2H **47**
Testcombe Rd. Gos —4C **44**
Testwood Rd. Hav —4D **16**
Tewkesbury Av. Fare —6E **9**
Tewkesbury Av. Gos —6H **35**
Tewkesbury Clo. Ports —3H **25**
Thackeray Mall. Fare —2B **22**
  (off Fareham Shopping Cen.)
Thackeray Sq. Fare —2B **22**
Thames Dri. Fare —5F **9**
Thamesmead Clo. Gos —6F **35**
Theseus Rd. Lee S —6F **33**
Thetford Rd. Gos —6F **35**
Thicket, The. Fare —2F **23**
Thicket, The. Gos —4E **35**
Thicket, The. S'sea —4D **46**
Thicket, The. Wid —6F **15**
Third Av. Hav —1G **29**
Third Av. Ports —3A **26**
Thirlmere Clo. Fare —1F **33**
Thistledown. Water —2B **6**
Thomas St. Ports —1C **46**
Thornbrake Rd. Gos —4E **45**
Thornbury Rd. Fare —3E **21**
Thornby Ct. Ports —1E **39**
Thorncliffe Clo. Ports —1B **38**
Thorncroft Rd. Ports —2E **47**
Thorney Clo. Fare —3F **21**
Thorney Rd. Ems —3F **31**
Thornfield Clo. Water —3C **2**
Thorngate Ct. Gos —2C **44**
Thorngate Way. Gos —3F **45**
Thorni Av. Fare —6E **9**
Thornton Clo. Water —1D **26**
Thornton Rd. Gos —5H **35**
Three Acres. Water —4C **4**
Three Tun Clo. Ports —2A **46**
Thresher Clo. Water —6C **6**
Thrush Wlk. Water —4G **5**
Thruxton Rd. Hav —4C **16**
Thurbern Rd. Ports —3A **38**

Tichborne Gro. Hav —4D **16**
Tichborne Way. Gos —3D **34**
Tidcombe Grn. Hav —2C **16**
Tideway Wlk. S'sea —3A **48**
Tidworth Rd. Hav —5F **17**
Tiffield Clo. Ports —1E **39**
Tilford Rd. Water —1H **5**
Tillington Gdns. Water —1D **2**
Timberlane. Water —5F **15**
Timbers, The. Fare —2E **21**
Timpson Rd. Ports —1E **47**
Timsbury Cres. Hav —6E **17**
Tintern Clo. Ports —2E **25**
Tintern Rd. Gos —3C **44**
Tipner Grn. Ports —2G **37**
Tipner La. Ports —2F **37**
Tipner Rd. Ports —3G **37**
Tiptoe Grn. Hav —3H **17**
  (off Scotney Rd.)
Tipton Ho. S'sea —3C **46**
Tisted Ct. Hav —4H **17**
Titchfield By-Pass. Titch —2B **20**
Titchfield Hill. Fare —3C **20**
  (in two parts)
Titchfield Ho. Ports —1D **46**
Titchfield Industries. Titch
                        —3C **20**
Titchfield La. Wick —3E **9**
Titchfield Pk. Rd. Fare —6A **8**
Titchfield Rd. Titch —3C **20**
Tithe, The. Water —3B **4**
Titus Gdns. Water —1A **16**
Tiverton Ct. Fare —1C **22**
Toby St. Ports —1C **46**
Tokar St. S'sea —5G **47**
Tokio Rd. Ports —4C **38**
Tonbridge St. S'sea —5C **46**
Tonnant Clo. Fare —3F **33**
Topaz Gro. Water —1B **16**
Tor Clo. Fare —2E **23**
Tor Clo. Water —6H **15**
Torfrida Ct. S'sea —4A **48**
Toronto Pl. Gos —2D **44**
Toronto Rd. Ports —6A **38**
Torquay Av. Gos —5G **35**
Torrington Rd. Ports —2A **38**
Tortworth Clo. Fare —3F **21**
Totland Rd. Gos —3C **34**
Totland Rd. Ports —4A **26**
Tottenham Rd. Ports —1E **47**
Totton Wlk. Hav —3D **16**
Tournerbury La. Hay I —3C **50**
Tower All. Ports —4H **45**
Tower Clo. Gos —4H **43**
  (in two parts)
Tower Gdns. Hav —5F **29**
Tower Rd. S'sea —4F **47**
Tower St. Ems —3D **30**
Tower St. Ports —4H **45**
Town Hall Rd. Hav —2F **29**
Town Quay. Ports —3A **46**
Town St. Ports —1D **46**
Towpath Mead. S'sea —3A **48**
Trafalgar Ct. Fare —4H **21**
Trafalgar Pl. Ports —1E **47**
Trafalgar Sq. Gos —2D **44**
Tranmere Rd. S'sea —3H **47**
Treadwheel Rd. Ids —1G **7**
Tredegar Rd. S'sea —4F **47**
Treeside Way. Water —6G **5**
Trefoil Clo. Water —2A **16**
Tregaron Av. Ports —3D **26**
Treloar Rd. Hay I —6H **51**
Trent Wlk. Fare —5E **9**
Trent Way. Lee S —1D **42**
Trevis Rd. S'sea —3A **48**
Trevor Rd. S'sea —4E **47**

Trevose Clo. Gos —4C **34**
Triangle La. Fare —1A **32**
Tribe Rd. Gos —2C **44**
Tricorn, The. Ports —1C **46**
Trimmers Ct. Ports —4A **46**
Trinity Clo. Gos —3G **45**
Trinity Gdns. Fare —2A **22**
Trinity Grn. Gos —3G **45**
Trinity St. Fare —1B **22**
Triumph Clo. Fare —1F **21**
Triumph Rd. Fare —6H **21**
Trojan Way. Water —6H **15**
Troon Cres. Ports —2E **27**
Trosnant Rd. Hav —1E **29**
Truro Ct. Gos —1G **43**
Truro Rd. Ports —2D **24**
Tudor Av. Ems —5C **18**
Tudor Clo. Fare —2H **23**
Tudor Clo. Gos —5D **34**
Tudor Clo. Hay I —5B **50**
Tudor Ct. Fare —4A **22**
Tudor Ct. S'sea —6D **46**
Tudor Cres. Ports —5B **26**
Tukes Av. Gos —1B **34**
Tulip Gdns. Hav —1C **28**
Tunstall Rd. Ports —2H **25**
Tunworth Ct. Hav —4H **17**
Tuppenny La. Ems —3G **31**
Turner Av. Gos —4D **34**
Turner Rd. Ports —6H **37**
Turtle Clo. Fare —1D **32**
Tuscany Way. Water —1B **16**
Twittens Way. Hav —2F **29**
Twyford Av. Ports —2H **37**
  (in two parts)
Twyford Dri. Lee S —6H **33**
Tyler Ct. Hav —4E **17**
Tynedale Clo. Gos —5F **35**
Tyrrel Lawn. Hav —2D **16**
Tyseley Rd. S'sea —2C **46**
Tytherley Grn. Hav —3H **17**

Underdown Av. Water —1F **27**
Unicorn Rd. Navy —1C **46**
Unicorn Rd. Lee S —6F **33**
Union Pl. Ports —1D **46**
Union Rd. Hav —2E **29**
Union St. Fare —2C **22**
Union St. Ports —2A **46**
Uplands Cres. Fare —6B **10**
Uplands Rd. Den —1A **4**
Uplands Rd. Dray —2E **27**
Up. Arundel St. Ports —2C **46**
Up. Bath La. Fare —2C **22**
Up. Bere Wood. Water —3H **15**
Up. Church Path. Ports —2C **46**
Up. Cornaway La. Fare —1H **23**
  (in two parts)
Upper Ho. Ct. Wick —2B **10**
Up. Old St. Fare —1D **32**
Up. Piece. Water —4C **4**
Up. St Michael's Gro. Fare
                        —3H **21**
Up. Wharf. Fare —3C **22**
Upton Clo. Hav —2D **16**

Vadne Gdns. Gos —1D **44**
Vale Gro. Gos —6G **35**
Valentine Clo. Fare —6E **9**
Valentine Ct. Water —1A **16**
Vale, The. S'sea —5C **46**
Vale, The. Water —4C **2**
Valletta Pk. Ems —3C **30**
Valley Clo. Water —6E **15**
Valley Pk. Dri. Water —1D **2**

Valsheba Dri. Fare —4D **32**
Vanstone Rd. Gos —5D **34**
Varos Clo. Gos —1C **44**
Vectis Rd. Gos —4A **44**
Vectis Way. Ports —4B **26**
Velder Av. S'sea —2G **47**
Venerable Rd. Fare —6A **22**
Vengeance Rd. Lee S —6G **33**
Venice Clo. Water —1A **16**
Ventnor Rd. Gos —2B **34**
Ventnor Rd. S'sea —3E **47**
Ventnor Way. Fare —2E **23**
Venture Ct. Ind. Est. Ports
—6C **26**
Venture Ind. Pk. Gos —2D **34**
Verbena Cres. Water —3B **6**
Vernon Av. S'sea —2G **47**
(in two parts)
Vernon Clo. Ports —2C **44**
Vernon Ct. Ports —3A **38**
Vernon M. S'sea —2G **47**
Vernon Rd. Gos —2C **44**
Vernon Rd. Ports —3C **38**
Verwood Rd. Hav —3H **17**
Veryan. Fare —2G **21**
Vian Clo. Gos —1C **34**
Vian Rd. Water —3F **15**
Vicarage La. Fare —2E **33**
Vicarage Ter. Gos —5F **35**
Victoria Av. Hay I —4B **50**
Victoria Av. Ports —4B **46**
Victoria Av. Water —6D **14**
Victoria Gro. S'sea —4D **46**
Victoria Pl. Gos —3D **44**
Victoria Pl. Ports —1D **46**
Victoria Rd. Ems —2C **30**
Victoria Rd. Hay I —3B **40**
Victoria Rd. Ports —1H **45**
Victoria Rd. Water —2G **15**
Victoria Rd. N. S'sea —4D **46**
Victoria Rd. S. S'sea —5D **46**
Victoria Sq. Lee S —1C **42**
Victoria St. Gos —2E **45**
Victoria St. Ports —6G **37**
Victor Rd. Ports —6B **38**
Victory Av. Water —1A **6**
*Victory Bus. Cen. Ports —2E **47***
(off Somers Rd. N.)
Victory Ct. Gos —4D **34**
Victory Gro. Ports —3G **37**
Victory Retail Pk. Ports —6G **37**
Victory Rd. Fare —3F **33**
Victory Rd. Ports —2A **46**
Victory Trading Est. Ports
—3D **38**
Viking Clo. Fare —2D **32**
Viking Way. Water —2C **2**
Villa Gdns. Water —1G **15**
Village Ga. Titch —2B **20**
Village Rd. Gos —5B **44**
Ville De Paris Rd. Fare —6A **22**
Villiers Rd. S'sea —5C **46**
Vimy Ho. Fare —3G **21**
Vincent Gro. Fare —4A **24**
Vine Coppice. Water —5G **15**
Vineside. Gos —4E **35**
Violet Av. Fare —3D **32**
Virginia Pk. Rd. Gos —1B **44**
Vita Rd. Ports —2A **38**
Vivash Rd. Ports —2E **47**
Vixen Clo. Fare —3D **32**
Vulcan Rd. Ports —3A **46**

Wade Ct. Rd. Hav —3G **29**
Wade La. Hav —4G **29**
(in two parts)

Wadham Rd. Ports —3H **37**
Wagtail Av. Horn —6A **2**
Wagtail Way. Fare —3F **23**
Wainscott Rd. S'sea —5G **47**
Wainwright Clo. Ports —5E **27**
Wait End Rd. Water —3G **15**
Wakefield Av. Fare —6H **9**
Wakefield Ct. Water —6H **15**
Wakefords Way. Hav —3G **17**
Wake Lawn. S'sea —4A **48**
Walberton Av. Ports —3C **26**
Walberton Ct. Ports —3C **26**
Walburton Way. Water —1D **2**
Walden Gdns. Water —6B **2**
Walden Rd. Ports —3G **37**
Walford Rd. Ports —2G **25**
Walker Pl. Gos —4D **34**
Walker Rd. Ports —3G **37**
Wallace Rd. Ports —5B **38**
Wallington Ct. Fare —5H **21**
Wallington Ct. Fare —6D **10**
(North Wallington)
Wallington Hill. Fare —1C **22**
Wallington Rd. Ports —4B **38**
Wallington Shore Rd. Fare
(in two parts)   —1C **22**
Wallington Way. Fare —1C **22**
Wallisdean Av. Fare —3H **21**
Wallisdean Av. Ports —6D **38**
Wallis Gdns. Water —6G **5**
Wallis Rd. Water —6G **5**
Wallrock Wlk. Ems —5D **18**
Walmer Rd. Ports —2E **47**
Walnut Dri. Fare —3D **32**
Walnut Tree Clo. Hay I —4B **50**
Walpole Rd. Gos —3F **45**
Walp Ter. Gos —4D **44**
Walsall Rd. Ports —1G **47**
Walsingham Clo. Ports —2H **25**
Waltham Clo. Fare —1A **24**
Waltham St. S'sea —3B **46**
Walton Clo. Gos —3C **44**
Walton Clo. Water —4G **15**
Walton Ct. Fare —5F **9**
Walton Rd. Gos —3C **44**
Walton Rd. Ports —5D **26**
Walton Rd. Ind. Est. Ports
—5E **27**
Wandesford Pl. Gos —4G **35**
Warblington Av. Hav —2H **29**
Warblington Ct. Ports —3A **46**
Warblington Rd. Ems —4C **30**
Warblington St. Ports —3A **46**
Warbrook Ct. Hav —4H **17**
Ward Ct. Hay I —5A **50**
Ward Cres. Ems —6E **19**
Wardens Clo. Hay I —2B **50**
Warders Ct. Gos —2D **44**
Ward Rd. S'sea —5G **47**
Wardroom Rd. Ports —4F **37**
Warfield Av. Water —2G **15**
Warfield Cres. Water —2G **15**
Warnborough Ct. Hav —3H **17**
Warnford Clo. Gos —3B **44**
Warnford Cres. Hav —4D **16**
Warren Av. S'sea —2G **47**
Warren Clo. Hay I —3G **49**
Warrior Bus. Cen. Ports —4G **27**
Warsash Clo. Hav —3E **17**
Warsash Gro. Gos —3B **34**
Warsash Rd. Fare —3A **20**
Warsdale Clo. Horn —3C **2**
Warwick Clo. Lee S —3E **43**
Warwick Cres. S'sea —3C **46**
Warwick Way. Wick —1B **10**
Washbrook Rd. Ports —3H **25**
Washington Rd. Ems —2D **30**

Washington Rd. Ports —5H **37**
Waterberry Dri. Water —6E **5**
Water Ga. Gos —3G **45**
Waterlock Gdns. S'sea —3B **48**
Waterloo Clo. Water —4F **5**
Waterloo Pl. Ports —1C **46**
Waterloo Rd. Gos —6E **45**
Waterloo Rd. Hav —1F **29**
Waterloo St. S'sea —3C **46**
Watermead Rd. Ports —4G **27**
Water's Edge. Lee S —2D **42**
Watersedge Gdns. Ems —3D **30**
Waters Edge Rd. Ports —3E **25**
Waterside Gdns. Fare —1D **22**
Waterside La. Fare —5C **24**
Waters, The. Fare —4G **9**
Waterworks Rd. Ports —3F **27**
Watts Rd. Ports —6H **37**
Wavell Rd. Gos —2D **34**
Waveney Clo. Lee S —1D **42**
Waverley Gro. S'sea —5E **47**
Waverley Path. Gos —4A **44**
Waverley Rd. Dray —3E **27**
Waverley Rd. S'sea —6E **47**
Wayfarer Clo. S'sea —2A **48**
Wayte St. Ports —4B **26**
Weavers Grn. Hav —6A **18**
Webb Clo. Hay I —5C **50**
Webb La. Hay I —5C **50**
Webb Rd. Fare —5B **24**
Wedgewood Clo. Fare —3E **33**
Wedgwood Way. Water —5G **5**
Weevil La. Gos —1F **45**
Welch Rd. Gos —6G **35**
Welch Rd. S'sea —5E **47**
Welchwood Clo. Water —1H **5**
Well Copse Clo. Water —4C **2**
Wellesley Clo. Water —2G **15**
Wellington Clo. Horn —1D **6**
Wellington Gro. Fare —4A **24**
Wellington Gro. Ports —2H **25**
Wellington St. S'sea —3C **46**
Wellington Way. Water —2G **15**
Well Meadow. Hav —3E **17**
Wellow Clo. Hav —6D **16**
Wellsworth La. Row C —4H **7**
Wembley Gro. Ports —5C **26**
Wendover Rd. Hav —1E **29**
Wensley Gdns. Ems —6D **18**
Wentworth Dri. Water —6B **2**
Wesermarsch Rd. Water —3A **6**
Wesley Gro. Ports —2B **38**
Wessex Gdns. Fare —4H **23**
Wessex Ga. Water —1C **6**
Wessex Ga. Ind. Est. Water
—1C **6**
Wessex Rd. Water —2C **2**
W. Battery Rd. Ports —4F **37**
Westborn Rd. Fare —2B **22**
Westbourne Av. Ems —1D **30**
Westbourne Clo. Ems —1E **31**
Westbourne Rd. Ems —6E **19**
Westbourne Rd. Ports —5B **38**
Westbrooke Clo. Water —1A **6**
Westbrook Gro. Water —4F **15**
Westbrook Rd. Fare —5B **24**
W. Bund Rd. Cosh —5E **25**
Westbury Clo. Ports —2F **25**
Westbury Mall. Fare —2B **22**
Westbury Rd. Fare —2B **22**
Westbury Sq. Fare —2B **22**
Westcliff Clo. Lee S —4H **33**
Westcroft Rd. Gos —2B **44**
W. Downs Clo. Fare —5A **10**
Westerham Clo. Ports —3A **26**
Western Av. Ems —3B **30**
Western Ct. Fare —2A **22**
Western Pde. Ems —4C **30**

Western Pde. S'sea —4B **46**
Western Rd. Fare —2B **22**
Western Rd. Hav —1E **29**
Western Rd. Ports —3G **25**
Western Ter. Ports —4G **37**
Western Way. Fare —2A **22**
Western Way. Gos —4A **44**
Westfield Av. Fare —3H **21**
Westfield Av. Hay I —4B **50**
Westfield Oaks. Hay I —4B **50**
Westfield Rd. Gos —2B **44**
Westfield Rd. S'sea —4G **47**
Westgate. Fare —4E **33**
W. Haye Rd. Hay I —6F **51**
Westland Dri. Water —5H **15**
Westland Gdns. Gos —4C **44**
Westlands Gro. Fare —4A **24**
West La. Hay I —3A **50**
Westley Gro. Fare —3H **21**
West Lodge. Lee S —6F **33**
Westmead Clo. Hay I —4H **49**
Westminster Pl. Ports —6H **37**
Weston Av. S'sea —3H **47**
Westover Rd. Ports —5D **38**
West Point. Lee S —1C **42**
West Rd. Ems —3C **30**
West Rd. S'wick —3E **13**
Westside View. Water —6E **5**
West St. Ems —3D **30**
West St. Fare —2A **22**
(in two parts)
West St. Hav —1D **28**
West St. Portc —3H **23**
(in two parts)
West St. Ports —4H **45**
West St. S'wick —3C **12**
West St. Titch —3B **20**
Westway. Titch —6A **8**
Westways. Hav —3H **27**
Westways. Stub —3F **33**
Westwood Clo. Ems —6E **19**
Westwood Rd. Ports —1A **38**
Weyhill Clo. Fare —2A **24**
Weyhill Clo. Hav —4D **16**
Weymouth Av. Gos —5F **35**
Weymouth Rd. Ports —4H **37**
Whaddon Chase. Fare —3D **32**
Whaddon Ct. Hav —3C **16**
Whale Island Way. Ports —4G **37**
Wharf Rd. Ports —5G **37**
Wheatcroft Rd. Lee S —1D **42**
Wheatlands Av. Hay I —6G **51**
Wheatlands Cres. Hay I —6G **51**
Wheatley Grn. Hav —3C **16**
Wheatsheaf Dri. Water —4F **5**
Wheatstone Rd. S'sea —4E **47**
Wheeler Clo. Gos —1D **44**
Wherwell Ct. Hav —4H **17**
Whichers Ga. Clo. Row C —1H **17**
Whichers Ga. Row C —1H **17**
Whimbrel Clo. S'sea —2B **48**
Whippingham Clo. Ports —3H **25**
Whitcombe Gdns. Ports —1F **47**
Whiteacres Clo. Gos —2D **44**
Whitebeam Clo. Fare —3G **21**
Whitebeam Clo. Water —2C **6**
White Beam Rise. Clan —2G **3**
Whitechimney Row. Ems —6F **19**
Whitecliffe Av. Ports —6C **38**
Whitecliffe Ct. Gos —3H **43**
White Cloud Pk. S'sea —4F **47**
White Cloud Pl. S'sea —4F **47**
Whitecross Gdns. Ports —2B **38**
Whitedell La. Fare —5D **10**
White Dirt La. Water —3B **2**
White Hart All. Ports —4A **46**
White Hart La. Fare —4H **23**

Whitehart Rd. Gos —3D **44**
White Hart Rd. Ports —4A **46**
Whitehaven. Fare —4H **23**
Whitehaven. Water —1D **6**
White Horse La. Water —2C **4**
White Ladies Clo. Hav —2G **29**
Whiteley La. Fare —6B **8**
(in two parts)
Whiteley Way. White —3A **8**
White Lion Wlk. Gos —2F **45**
White Lodge Gdns. Fare —5G **9**
White Oak Wlk. Hav —4H **17**
Whites Pl. Gos —2D **44**
White Swan Rd. Ports —2B **46**
Whitethorn Rd. Hay I —4D **50**
White Wings Ho. Water —3B **4**
Whitsbury Rd. Hav —4G **17**
Whitstable Rd. Ports —3A **26**
Whittington Ct. Ems —3D **30**
Whitwell Rd. S'sea —6E **47**
Whitworth Clo. Gos —3D **44**
Whitworth Rd. Gos —3C **44**
Whitworth Rd. Ports —5B **38**
Wickam Croft. Wick —2B **10**
Wickham Rd. Fare —5B **10**
Wickham St. Ports —2A **46**
Wickor Clo. Ems —1E **31**
Wickor Way. Ems —6E **19**
Wicor Mill La. Fare —4H **23**
Wicor Path. Fare —5G **23**
Wicor Path. Portc —5B **24**
Widgeon Clo. Gos —6H **35**
Widgeon Ct. Fare —3F **23**
Widley Ct. Fare —5A **22**
Widley Ct. Dri. Ports —4C **26**
Widley Gdns. Water —6F **15**
Widley Rd. Cosh —3C **26**
Widley Rd. Ports —3G **37**
Widley Wlk. Water —6F **15**
Wield Clo. Hav —5C **16**
Wigan Cres. Hav —1B **28**
Wilberforce Rd. Gos —6E **45**
Wilberforce Rd. S'sea —4C **46**
Wilby La. Ports —1E **39**
Wildmoor Wlk. Hav —4H **17**
Wild Ridings. Fare —3D **20**
Willersley Clo. Ports —2G **25**
William Clo. Fare —4F **33**
William George Ct. Lee S —2C **42**
William Price Gdns. Fare —1B **22**
Williams Clo. Gos —6D **34**
Williams Rd. Ports —2D **38**
Willis Rd. Gos —3E **45**
Willis Rd. Ports —2C **46**
Willow Clo. Hav —2G **29**
Willowdene Clo. Hav —5B **16**
Willow Pl. Gos —2D **44**
Willows, The. Water —3A **4**
Willow Tree Av. Water —5B **6**
Willowtree Gdns. Fare —3G **21**

Willow Wood Rd. Hay I —4C **50**
Wilmcote Gdns. S'sea —3D **46**
Wilmcote Ho. S'sea —2D **46**
Wilmott Clo. Gos —2B **44**
Wilmott La. Gos —2B **44**
Wilson Gro. S'sea —4D **46**
Wilson Rd. Ports —3G **37**
Wilton Clo. Gos —3B **44**
Wilton Dri. Water —2A **6**
Wilton Pl. S'sea —5D **46**
Wilton Ter. S'sea —5D **46**
Wiltshire St. S'sea —3B **46**
Wilverley Av. Hav —5G **17**
Wimbledon Pk. Rd. S'sea —5D **46**
Wimborne Rd. S'sea —3G **47**
Wimpole Ct. Ports —1E **47**
Wimpole St. Ports —1D **46**
Wincanton Way. Water —6B **6**
Winchat Clo. Fare —5E **9**
Winchcombe Rd. Ports —2F **25**
Winchester Ct. Gos —2H **43**
Winchester Ho. Hav —4G **17**
Winchester Rd. Ports —5A **38**
Winchester Rd. Wick —1A **10**
Winchfield Cres. Hav —5B **16**
Windermere Av. Fare —1F **33**
Windermere Rd. Ports —2B **38**
Windmill Clo. Water —1G **3**
Windmill Field. Water —3C **4**
Windmill Gro. Fare —5H **23**
Windrush Gdns. Water —2F **15**
Windsor La. S'sea —3D **46**
Windsor Rd. Cosh —4B **26**
Windsor Rd. Fare —5B **24**
Windsor Rd. Gos —3C **44**
Windsor Rd. Water —5F **5**
Winfield Way. Ems —5D **18**
Wingate Rd. Gos —4F **35**
Wingfield St. Ports —6H **37**
Winifred Rd. Water —1G **15**
Winkfield Row. Water —2B **6**
Winkton Clo. Hav —6D **16**
Winnham Dri. Fare —2G **23**
Winnington. Fare —5F **9**
Winnington Clo. Fare —5F **9**
Winscombe Av. Water —5A **6**
Winslade Rd. Hav —4D **16**
Winsor Clo. Hay I —6F **51**
Winstanley Rd. Ports —4G **37**
Winston Churchill Av. Ports &
S'sea —3C **46**
Winston Clo. Hay I —4A **50**
Winterbourne Rd. Ports —2D **24**
Winterhill Rd. Ports —3H **25**
Winter Rd. S'sea —4G **47**
Winterslow Dri. Hav —3E **17**
Winton Rd. Ports —3B **38**
Wisborough Rd. S'sea —5E **47**
Wises All. Gos —3G **45**
Wish Pl. S'sea —4E **47**

Witchampton Clo. Hav —4G **17**
Witherbed La. Fare —5A **8**
(in two parts)
Withies Rd. Gos —5D **34**
Withington Clo. Ports —2F **25**
Witley Rd. Water —1H **5**
Wittering Rd. Hay I —5H **51**
Woburn Ct. Lee S —3D **42**
Wode Clo. Water —2C **2**
Wolverton Rd. Hav —4E **17**
Wonston Ct. Hav —3H **17**
Woodberry La. Row C & Ems
—1C **18**
Woodbourne Clo. Fare —2F **21**
Woodbury Av. Hav —3F **29**
Woodbury Gro. Water —2H **5**
Woodcot Cres. Hav —3G **17**
Woodcote La. Fare —2A **34**
Woodcroft Gdns. Water —2H **5**
Woodcroft La. Water —2H **5**
Woodfield Av. Ports —2G **27**
Woodfield Pk. Rd. Ems —2F **31**
Woodgason La. Hay I —5E **41**
Woodgreen Av. Hav —1D **28**
Woodhall Way. Fare —6G **9**
Woodhay Wlk. Hav —3H **17**
Woodhouse La. Ids —1G **7**
Woodhouse La. Row C & Water
—3H **7**
Woodington Clo. Hav —3G **17**
Woodlands. Fare —1D **22**
Woodlands Av. Ems —6C **18**
Woodlands Gro. Water —4F **15**
Woodlands La. Hay I —2A **50**
Woodland St. Ports —1E **47**
Woodlands Way. Hav —5F **17**
Woodland View. Water —1H **5**
Woodleigh Clo. Hav —6A **18**
Woodley Rd. Gos —3E **45**
Woodmancote La. Ems —4H **19**
Woodmancote Rd. S'sea —3G **47**
Woodpath. S'sea —4H **46**
Woodpecker Clo. Hav —2H **29**
Woodroffe Wlk. Ems —5D **18**
Woodrow. Water —3A **4**
Woodsedge. Water —3A **16**
Woodside. Gos —6B **22**
Woodstock Av. Water —2A **6**
Woodstock Clo. Fare —2G **21**
Woodstock Rd. Gos —4E **45**
Woodstock Rd. Hav —1C **28**
Woodvale. Fare —1F **21**
Woodville Dri. Ports —4B **46**
Woodville Rd. Hav —1B **28**
Woodward Clo. Gos —3B **44**
Woofferton Rd. Ports —2E **25**
Woolmer Ct. Hav —4H **17**
Woolmer St. Ems —5C **18**
Woolner Av. Ports —3C **26**
Woolston Ct. Gos —4A **44**

Woolston Rd. Hav —3C **16**
Wootton Rd. Lee S —3E **43**
Wootton St. Ports —4B **26**
Worcester Ct. Gos —1G **43**
Wordsworth Av. Ports —2C **24**
Worldham Rd. Hav —3H **17**
Worsley Rd. S'sea —4C **46**
Worsley St. S'sea —5G **47**
Worthing Av. Gos —5F **35**
Worthing Rd. S'sea —5D **46**
Worthy Ct. Hav —4H **17**
(in two parts)
Wraysbury Pk. Dri. Ems —5D **18**
Wren Way. Fare —3F **23**
Wrexham Gro. Water —2B **2**
Wyborn Clo. Hay I —5C **50**
Wych La. Gos —1B **34**
Wycote Rd. Gos —1B **34**
Wyeford Ct. Hav —3H **17**
Wykeham Av. Ports —4A **38**
Wykeham Field. Wick —2B **10**
Wykeham Rd. Ports —4A **38**
Wyllie Rd. Ports —1A **38**
Wymering La. Ports —3A **26**
Wymering Mnr. Clo. Ports
—3H **25**
Wymering Rd. Ports —5A **38**
Wyndcliffe Rd. S'sea —4E **47**
Wyndham Clo. Water —3B **6**
Wyndham M. Ports —4A **46**
Wynton Way. Fare —6E **9**

Yaldhurst Ct. Hav —3H **17**
Yapton St. Ports —2C **46**
Yarborough Rd. Hav —4C **46**
Yardlea Clo. Row C —6H **7**
Yardley Clo. Ports —1E **39**
Yateley Clo. Hav —4C **16**
Yeo Ct. S'sea —3A **48**
Yewside. Gos —3D **34**
Yews, The. Horn —6D **2**
Yew Tree Av. Cowp —5B **6**
Yew Tree Rd. Hay I —5C **40**
Yew Tree Gdns. Den —3A **4**
Yoells Cres. Water —1H **5**
Yoells La. Water —1H **5**
York Cres. Lee S —3E **43**
Yorke St. S'sea —3B **46**
York Gdns. Fare —5C **24**
York Pl. Ports —2B **46**
York Ter. Ports —6B **26**
Youngbridge Ct. Fare —4A **22**

Zetland Path. Ports —4F **27**
Zetland Rd. Gos —2D **44**
Zetland Rd. Ports —4F **27**
Zeus La. Water —6H **15**